Si usted encuentra este diario,
por favor contáctese con:

____

____

Como recompensa recibirá:
$ __________

Mi DIARIO *en* CINCO MINUTOS

La acción más sencilla y eficaz que puedes hacer cada día para ser más feliz.

CREADO POR

ALEX IKONN Y UJ RAMDAS

CONTÁCTENOS

hello@intelligentchange.com

HÁGASE DISTRIBUIDOR

sales@intelligentchange.com

Creado por Alex Ikonn y UJ Ramdas

Publicado por Intelligent Change Inc.
ISBN 978-0-9918462-5-2

Directora ***Mimi Ikonn***

© 2018 Intelligent Change. Todos los derechos reservados. Todo el material de este diario no puede reproducirse, transmitirse o distribuirse de ninguna forma sin el permiso por escrito de Intelligent Change.

Si bien el editor ha realizado sus mejores esfuerzos en la preparación de este diario, éstos no formulan ninguna declaración ni garantía con respecto a la exactitud o integridad del contenido de este diario. Es posible que el consejo y las estrategias aquí contenidos no sean adecuados para su situación. Usted deberá consultar con un profesional cuando sea apropiado. Ni el editor ni los autores serán responsables de cualquier pérdida de beneficio o cualquier otro daño comercial, incluyendo sin limitación: daños especiales, incidentales, consecuentes u otros daños.

Traducción de Maria Riega • Corrector de pruebas: Diana Ferraro
Un agradecimiento especial a Maya Velasquez Watanabe

RECICLADO

Papel hecho de material reciclado

FSC® C074709

Impreso en China
Lot 30001

Intelligent Change
www.intelligentchange.com

Dedicatoria

A los que siguen aprendiendo y emprendiendo cosas durante toda la vida. Ustedes están cambiando el mundo todos los días.

Cinco razones por las que te encantará Mi Diario en Cinco Minutos

1 **Es lo más sencillo y eficaz que puedes hacer cada día para ser más feliz.** Se ha comprobado, en múltiples oportunidades, que el cambio de tu enfoque a lo positivo puede mejorar tremendamente tu felicidad. La clave es ser constante. Gracias a sus citas positivas diarias, los retos semanales y una estructura para ayudarte a centrarte en lo bueno, hallarás en *Mi Diario en Cinco Minutos* una excelente forma de empezar y terminar el día.

2 **Se basa en principios comprobados de psicología positiva.** De alguna manera, los psicólogos tardaron unos 80 años en darse cuenta de que es mejor centrarse en los rasgos positivos del comportamiento en lugar de hacerlo en la depresión, la ansiedad y los trastornos perceptivos. Este diario se ha creado combinando elementos prácticos que pueden marcar la diferencia en tu vida. Te ahorramos tener que pasar horas y semanas leyendo densa terminología académica. Está todo aquí y lo hemos hecho de forma fácil para que lo puedas implementar en tu rutina diaria.

3 **Es un diario para personas que no escriben diarios.** Si eres el tipo de persona que siempre quiso escribir un diario, pero la vida, las excusas y el correo electrónico se interpusieron en tu objetivo, no busques más. *Mi Diario en Cinco Minutos* fue diseñado para ti. Cualesquiera que sean tus excusas para no llevar un diario, este diario las eliminará.

4 **Tendrás una captura instantánea de tus días, semanas, meses y años.** ¿Cuándo fue la última vez que viste fotos tomadas hace unos años? ¿Te detuviste y sentiste nostalgia, sonriendo para tus adentros? Imagina si pudieras tener la misma experiencia sólo volteando la página a un determinado día en un año específico de tu vida, podrías regresar a quién eras, lo que hiciste y cómo te sentiste aquel día. Será tu propia crónica de recuerdos, ideas y sueños.

5 **¿Tienes problemas para cumplir un compromiso? Bien.** Entonces te encantará *Mi Diario en Cinco Minutos* (ver página 36). En su interior encontrarás consejos y trucos que te brindarán una fórmula infalible para mantener tu compromiso de escribir con frecuencia. ¿Con qué frecuencia tendemos a eludir un compromiso que es bueno para nosotros? Los médicos con sobrepeso, los profesores haraganes y los presidentes infieles evidencian esta tendencia. Descubrirás acciones simples y efectivas que puedes realizar para seguir en el camino correcto. Adquirirás el hábito de escribir este diario todos los días y concentrarte en los cambios positivos en tu vida.

Todo esto es posible. En menos de cinco minutos al día.

Contenido

Aquellos que no creen en la magia, nunca la encontrarán.

–ROALD DAHL

Mi Diario en Cinco Minutos no es una píldora mágica.
Aunque, sin duda, sí hay algo de magia en la obra.
Tendrás que continuar trabajando en el mundo real.
Salir de tu zona de confort.

Actuar y hacer que la magia suceda.

Este diario es tu guía.

Ya estás en camino.

Cómo Funciona

"Somos lo que hacemos día a día. De modo que la excelencia no es un acto, sino un hábito".

–WILL DURANT

Es muy probable que ya hayas leído anteriormente citas como la de Aristóteles en la página anterior. Estas nos hacen evaluar nuestros hábitos actuales en una fracción de segundo, y reflexionar sobre las cosas que necesitamos cambiar. Incluso si te consideras una persona ambiciosa, es posible que te resulte difícil implementar una serie de nuevos comportamientos en tu vida.

Como verás, el sentido común no se traduce en acciones comunes y cotidianas.

Es por eso que el 44% de los médicos tiene sobrepeso[1]. Puedes apostar que ellos pasaron la mayor parte de su juventud entre libros que les hablaban de los beneficios del ejercicio y de una buena dieta. Repite conmigo - leer un libro sobre cómo montar en bicicleta no te califica para participar en el Tour de Francia.

Las investigaciones actuales sobre el autocontrol y la autorregulación muestran que la fuerza de voluntad es un recurso limitado, de manera similar a un músculo que se cansa al ser usado[2]. Las personas que viven estresadas en forma crónica encuentran difícil resistir la tentación, desde cosas aparentemente benignas como un café latte, hasta un frenesí de compra compulsiva desenfrenada. ¿Qué podemos hacer? ¿Olvidarnos del arrebato de compras y optar por el café latte? ¿O tenemos alguna otra opción?

Afortunadamente, con un poco de inspiración de estos personajes notables a los que hemos leído, te ofrecemos este pequeño y compacto diario. No te dejes engañar por su simplicidad. Combina varios principios que se entrelazarán a la perfección como la trama y la urdimbre para dar nacimiento al tejido de tu nueva vida.

Principios básicos

EL PRINCIPIO Y EL FIN

"Dormir temprano y levantarse temprano hace a un hombre sano, rico y sabio"

–BENJAMIN FRANKLIN

La sabiduría, desde la antigüedad hasta nuestros días, nos enseña que el comienzo y el fin del día son momentos para meditar, evaluar y corregir el rumbo. Independientemente de cuándo empieces o termines tu día, pocas personas han establecido rituales positivos que les permitan prosperar.

Contrariamente a la opinión popular, el establecimiento de tales rituales positivos no está reservado únicamente para ultra exitosos directores ejecutivos o monjes budistas.

Te recomendamos que guardes este diario con un bolígrafo al lado de tu cama, en un lugar acogedor, que te anime a utilizarlo. Deja que este sea el primer impulso cuando te despiertes y el impulso final antes de irte a dormir. Deja que Mi Diario en Cinco Minutos ocupe ese espacio codiciado en tu mesa de noche, justo al alcance de tu mano.
Te verás recompensado con creces.

En sólo unos cinco minutos al día, puedes establecer un patrón positivo de pensamiento y manera de actuar en los momentos en que verdaderamente es esencial. Es el espacio de tiempo ideal que permite con un mínimo esfuerzo recibir una enorme recompensa, a esto también se le conoce como: piensa bien y actúa de manera inteligente.
De modo que, ¡adelante!

¿Por qué debería escribir en el diario apenas me despierte?

¿Has tenido alguna vez un día en el que te despertaste y parecía que todo iba viento en popa? ¿Un día en el que todo parecía fácil, sin necesidad de esfuerzo y lo único que querías hacer era sonreír?

¿Hay alguna manera de poder sentir eso mismo todos los días?

Mi *Diario en Cinco Minutos* está diseñado para ayudarte a lograr precisamente eso. Estás fresco, te acabas de despertar y tienes la valiosa oportunidad de establecer el tono del resto de tu día en esos primeros minutos. El diario te hace las preguntas precisas que crearán ciclos de hábitos positivos.

Asegúrate de escribir en el diario a primera hora de la mañana, incluso si:

¿Todavía tienes sueño?
Gracias por compartirlo. Escribe de todos modos.

¿Sientes pereza?
Gracias por compartirlo. Escribe de todos modos.

¿Se te hace tarde para el trabajo? Gracias por compartirlo. Escribe de todos modos.

El crecimiento no es todo miel y color de rosas. No siempre es cómodo. Y no viene con un lindo lazo encima.

La recompensa producto del crecimiento no tiene precio. El crecimiento puede llevarte a establecer relaciones plenas y gratificantes, tener una excelente salud y un descanso reparador por las noches.

La resistencia puede interponerse en el camino del crecimiento que necesitas. Provoca depresión, debilidad y deudas en tus tarjetas de crédito.

Al escribir en el diario cada mañana, vences la resistencia. Te estás dando la oportunidad de crecer. Te comprometes a seguir adelante y dejar tu huella en el mundo.

¿Por qué debo escribir en el diario justo antes de irme a dormir?

¿Qué sueles hacer antes de acostarte? ¿Tienes una rutina?

El estadounidense medio ve 5 horas y 11 minutos de televisión al día[3]. Si para el momento en que leas esto, la televisión ya no es tan popular, entonces es muy probable que estés utilizando tu teléfono o un nuevo dispositivo electrónico.

Mucho de esto se produce justo antes de ir a dormir.

¿Qué pasaría si decides utilizar este tiempo para invertirlo en ti mismo?

¿En tu bienestar?

Escribir en el diario antes de acostarte es un paso en la dirección correcta. Deja que se convierta en un hábito diario (también te recomendamos cepillarte los dientes y usar hilo dental).

Los resultados espectaculares son el resultado de un diseño inteligente y una consistencia titánica. Tomemos el ejemplo de mantener la armonía en las relaciones. Las relaciones de algunas personas están llenas de tanto drama que podrían competir con un *reality show.*

Sin embargo, hay otros que siguen fortaleciendo su amor y rara vez pelean.

Existe un secreto poco conocido que es compartido por las parejas que disfrutan de relaciones plenas. El que las hizo más felices y creó lazos duraderos.

Este es el secreto: Resuelven cualquier conflicto antes de irse a dormir. Con amor, honestidad y confianza.

De la misma manera, es importante que escribas en el diario antes de irte a dormir. Verás como *Mi Diario en Cinco Minutos* te ayuda instantáneamente a enfocarte en lo positivo y elimina los ciclos de pensamiento negativo. No importa cómo haya sido tu día, dormirás un poco mejor de cómo habrías dormido si no lo hubieses hecho. Así de simple.

Asegúrate de escribir en el diario antes de irte a dormir, incluso si:

¿Tuviste un largo día?
Gracias por compartirlo. Escribe de todos modos.
¿Tienes un fuerte dolor de cabeza?
Gracias por compartirlo. Escribe de todos modos.
¿Tienes que levantarte temprano mañana?
Gracias por compartirlo. Escribe de todos modos.

Nunca te vayas a dormir sin antes hacer una petición a tu subconsciente.

–THOMAS EDISON

La rutina matinal

LISTA DE GRATITUD DE HOY

¿Cuáles son las tres cosas por las que puedes estar agradecido hoy?

Uno de los mayores dones del ser humano es la capacidad de elegir en qué enfocarse. Si te encuentras perfectamente tranquilo y calmado en tu interior, puedes manejar cualquier cosa. Para quienes no contamos con entrenamiento en la filosofía Zen, la mejor manera de empezar el día es haciendo un recuento de tus bendiciones.

Es la antítesis de un día de mala racha o en el que te levantas con el pie izquierdo. Sugerimos que sea cual sea el lado de la cama donde hayas puesto este diario, es el lado correcto.

No importa dónde estés y cuál sea tu situación, tu enfoque puede trasladarse a algo positivo. Así es cómo funciona en la práctica:

Estoy agradecido por...

1. Estoy agradecido por tener una cama caliente donde dormir.
2. Estoy agradecido por tener un cuerpo que funciona en perfecta armonía.
3. Estoy agradecido por tener amigos verdaderos y genuinos en mi vida.

Aquí tienes nuestro pequeño secreto para tu lista de gratitud: Trata de escribir cosas por las que te sientes agradecido pero que es posible que aún no tengas en tu vida. Digamos que realmente quieres tener una relación sentimental sana. Entonces escribe... *Estoy agradecido por tener una relación amorosa y saludable con la pareja de mis sueños.* Tan sólo no olvides definir claramente a este hombre/mujer, lo cual constituye un ejercicio totalmente diferente.

¿Qué es la gratitud?

No resulta fácil clasificar esta excelente emoción. La palabra gratitud, derivada del vocablo latin "gratia" (que significa gracia, gentileza o agradecimiento), elude una explicación sencilla por parte de los académicos. Definiciones tales como "*la voluntad de reconocer los incrementos de valor no ganados en la experiencia de uno*" están muy bien para los trabajos universitarios, pero no logran explicar su real significado. No intentaremos disfrazar la imprecisión con palabras rebuscadas.

La gratitud es la experiencia de hacer un recuento de las bendiciones que uno tiene.

Es el sentimiento que encarna la palabra "*Gracias*". Es la recompensa inesperada de una acción bondadosa, producida mágicamente por tu cerebro. Es esa linda sensación, ese hormigueo estimulante en tu cuerpo que te hace sonreír a extraños.

¿Por qué los científicos aman la gratitud?

Incluso después de abrirse paso a través de las confusiones y espejismos de los sistemas de creencias tipo Ley de la Atracción, la gratitud ha demostrado ser muy transformadora en los seres humanos, desde amas de casa hasta estudiantes de enfermería.

Un estudio realizado en 2003 por Emmons y McCullough concluyó que el hecho de llevar un diario de gratitud en forma diaria permite: dormir mejor, la reducción de los dolores físicos, una mayor sensación de bienestar y una mejor capacidad para manejar el cambio[4].

Profundizando más en el mundo de la neurociencia, hay otro estudio que ilustra la eficacia inmediata de la gratitud. Resulta que la gratitud podría ser la píldora mágica definitiva para alcanzar la "felicidad" (a pesar de las drogas).

En un estudio de 2008, se estudiaron mediante IRMf (Imágenes por Resonancia Mágnetica funcional) a sujetos que experimentaban gratitud, y se encontró que estaban influenciando su hipotálamo en tiempo real.[5]

¿El hipo-qué?

El hipotálamo es la parte más pequeña de tu cerebro que influye directamente en tu sueño, alimentación y estrés. La gratitud también estimula la parte del cerebro asociada con el neurotransmisor dopamina – la sustancia química que te dice: "hazlo de nuevo" – que es responsable de la creación de nuevas vías de aprendizaje.

Como conclusión: **Escribe en el diario.** Todas las mañanas y todas las noches – es lo más parecido a una píldora mágica.

CREANDO UN MEJOR DÍA

¿Qué haré para que hoy sea un excelente día?

¿Alguna vez has comprado un vehículo nuevo y te ha sucedido que luego veías el mismo modelo dondequiera que ibas?

Si eres mujer, ¿has notado que cuando te pintas los labios con un determinado tono de lápiz labial, automáticamente te despierta interés el tono de labial que usan otras mujeres? ¿Te has enamorado alguna vez y te sucedía que lo veías todo color de rosa? ¿O te has dado cuenta automáticamente de que alguien tiene los mismos zapatos/corte de pelo/camisa?

Estas experiencias son universales. ¿Por qué suceden?

Hay una pequeña parte de tu cerebro en la región posterior de la cabeza llamada Sistema de Activación Reticular (SAR) que activa y desactiva tu percepción de las ideas y pensamientos, y determina los cristales a través de los cuales percibes el mundo. Cuando llevas a cabo una acción como comprar un vehículo nuevo, has dado un paso importante en la redefinición de tus posesiones y tu SAR cambia para dar cabida a tu nueva adquisición. Dondequiera que vayas, tu SAR te recordará sutilmente este cambio señalándote a otros que tienen un vehículo igual al tuyo.

Cuando escribes "*¿Qué haré para que hoy sea un excelente día?*", estás dando un paso para influir en tu SAR para que te señale y dirija hacia las actividades que harán que tu día sea mejor. Estás construyendo nuevos caminos en tu cerebro para que te permitan "ver" lo que puedes hacer para mejorar tu bienestar todos los días.

Estás creando un nuevo programa en tu mente que aprende de manera natural a mejorar tu felicidad. Haciendo esto constantemente te permitirá tener de forma consistente mejores días. Es así de sencillo.

Una investigación descubrió que, por el simple hecho de imaginarse viendo su película favorita, las personas podían aumentar sus niveles de endorfinas (el químico que tu cerebro produce para hacerte sentir felicidad y bienestar) en un 27%. La parte que uno disfruta más de cualquier actividad suele ser la anticipación a la misma.

Para demostrarlo con un ejemplo, te presentaremos a Katie. Ella es una ambiciosa veinteañera cuya parte favorita de *Mi Diario en Cinco Minutos* es '*¿Qué haré para que hoy sea un excelente día?*', ya que le da la excusa perfecta para jugar con una vasta cantidad de ideas que pondrán emoción en su día. Tan pronto despierta, ella se toma un minuto antes de escribir esta sección.

Así se vería un día cualquiera en su diario.

¿Qué haré para que hoy sea un excelente día?

1. Tomarme un tiempo adicional para mí antes de salir al trabajo
2. Enviarle una nota de agradecimiento a mamá
3. Acostarme a dormir antes de las 10 pm

Fíjate que ella se asegura de escribir cosas sobre las que tiene control. Ella podría escribir un día soleado. Sin embargo, ella no tiene control alguno sobre si el día será o no soleado. Ella se enfoca en acciones específicas que puede ejecutar durante el día para hacerlo maravilloso. Así que ahora es tu turno. ¿Cómo podrías hacer de hoy un gran día para ti?

AFIRMACIÓN DIARIA

Una declaración de lo que quieres en tu vida.

Si has leído hasta acá, lo más probable es que estés interesado en crear algo asombroso en tu vida y que lo termines consiguiendo. Tienes ideas sobre la persona en la que te quieres convertir y el futuro que quieres edificar.

Pasemos a un estudio llevado a cabo por Alia Crum de la Universidad de Harvard y Ellen Langer, en el que realizaron un experimento para estudiar el efecto de condicionar el cerebro del personal de siete hoteles diferentes. A la mitad de los participantes se les informó cuánto ejercicio estaban realizando cada día simplemente trabajando - cuántas calorías quemaban, las semejanzas entre pasar la aspiradora y ejecutar una rutina de entrenamiento, etc. A la otra mitad no se le suministró esa información.

Varias semanas después, se descubrió que el primer grupo, al que se había condicionado para imaginar su trabajo como ejercicio, de veras había perdido peso. Lo más asombroso es que estos individuos no habían hecho más trabajo o ejercicio que el grupo control (sus colegas, a quienes no se les había informado lo similar que era su trabajo a ejercitarse)[6].

Y he aquí la pregunta clave – ¿cómo puedes condicionar tu cerebro para empezar a ver ganancias de esta manera?

La *Afirmación Diaria* es una declaración sencilla que te define como la persona que quieres ser. Cada vez que escribes la afirmación diaria, condicionas tu cerebro para que empiece a construir esta creencia en tu mente. Con consistencia, empezarás a crear ese cambio que buscas desde adentro.

Así funciona en la práctica: Digamos que Bruce desea mejorar la auto-confianza en su día a día. Él despierta y escribe en su diario:

Afirmaciones diarias. Yo...

Tengo confianza en mí mismo y estoy satisfecho de ser quien soy.

Conforme su día pasa, naturalmente empezará a observar el mundo desde esta perspectiva. Digamos que compra un té y sonríe a la cajera. Su subconsciente empieza a pensar, "Ah, esto debe estar sucediendo porque tengo confianza en mí mismo y estoy satisfecho de ser quien soy". Cada día que escriba en *Mi Diario en Cinco Minutos*, empieza a condicionar su cerebro hacia esta creencia.

No subestimes la efectividad de este ejercicio. Si Will Smith, Jim Carrey y Arnold Schwarzenegger consiguieron beneficiarse de ello, tú también puedes.

Te presentamos varios ejemplos de cómo se refleja en el diario:

Afirmaciones diarias. Yo...

Yo vivo con pasión y propósito.

También puedes ir más allá y ser específico:

Yo estoy en una relación amorosa y apasionada.

Yo gano $ 100.000 anuales.

Es la repetición de afirmaciones lo que lleva a creer en algo.

Y una vez que esa creencia se convierte en una convicción firme, todo empieza a suceder.

–MUHAMMAD ALI

La Rutina nocturna

LAS ASOMBROSAS TRES

¿Qué tres cosas asombrosas sucedieron en tu día?

Posiblemente, el mejor momento del día es cuando te permites hacer una lista de todos los momentos positivos – grandes y pequeños por igual. *Las asombrosas tres* es tu colección personal de cosas maravillosas, tanto esperadas como inesperadas, que experimentaste en tu día.

Para ilustrar la efectividad de esta sección, pasamos a Quora.com – una plataforma de red social que permite que personas inteligentes a todo lo largo del globo compartan percepciones, respuestas y conocimiento. Una pregunta pertinente a la felicidad derivó en una potente respuesta de un experto en mercadeo social, Brad Einarsen, la cual fue respaldada por importantes psicólogos tales como BJ Fogg.

En la siguiente página comparte su estrategia.

"Estando en un momento oscuro, puse en práctica una regla sencilla que vendría cambiando mi vida.

Regla: Cuando llegue a casa del trabajo, lo primero que le diré a mi esposa es lo mejor que me haya sucedido ese día.

Sin excepciones. Sin quejas. Solo lo mejor de ese día, incluso si no fue nada más que una taza de café. Esto tenía el efecto de iniciar nuestra noche de manera positiva y terminó cambiando por completo nuestra relación".

-BRAD EINARSEN

También puede cambiar tus relaciones. Cuando anotas *Las asombrosas tres*, estás contando las bendiciones en tu día – en reversa. Esto tiene el efecto de permitir que 'condiciones' tu cerebro en reversa y que puedas cambiar no sólo tus relaciones con tus seres queridos, sino también tu relación contigo mismo.

Durante las primeras semanas de apuntar tus asombrosas tres, comienza con algo sencillo:

3 cosas asombrosas que sucedieron hoy...

1. Un amigo me recomendó un libro maravilloso
2. Hoy di un hermoso paseo por el parque.
3. El barista recordó cómo pido mi Americano.

Poco a poco, te harás mejor en esto. A través de la magia de la disciplina, la lista empezará a mejorar más y más. Recuerda analizar tu lista de *Las asombrosas tres* todos los meses para ver de qué manera estás cambiando y avanzando.

MEJORANDO EL DÍA

Si mágicamente pudieras retroceder en el tiempo y cambiar algo que hiciste hoy, ¿qué sería?

En un amplio abanico de películas, yendo desde *Volver al futuro (Back to the Future)* hasta *Eterno resplandor de una mente sin recuerdos (Eternal Sunshine of the Spotless Mind)*, el deseo de retroceder en el tiempo y cambiar algo es un sentimiento universal.

Vamos a desdoblar este concepto. Obsérvalo como un ejercicio de imaginación en el que tienes la oportunidad de regresar en el tiempo y cambiar una cosa que hiciste en el día.

Podría ser decir (o no decir) algo a alguien.

Podría ser despertarte más temprano.

Podría ser confiar en tu intuición antes de tomar una decisión.

Esta sección es un recordatorio personal de que tienes el poder de cambiar tu percepción del pasado y así influir sobre el futuro. De una manera muy real, moldeas tu futuro del mismo modo que lo hacen los atletas profesionales y los astronautas de la NASA. La tecnología está en tus manos. Es la magia que posees entre ambos oídos.

Cómo funciona: Tu percepción moldea tu realidad. Ya hemos establecido que condicionar tu cerebro para buscar automáticamente los elementos positivos al comenzar el día es una manera muy efectiva de iniciarlo. Sin embargo, conforme pasa el día, es posible que tus respuestas automáticas empiecen a actuar.

Estar frustrado ante el tráfico o una conexión lenta a la internet es un problema universal en el primer mundo. Así es cómo puedes combatirlo – cuando escribes "*¿Cómo podría haber mejorado aún más el día de hoy?*", puedes actualizar tu percepción de las acciones que puedes tomar en el día. Empiezas a buscar maneras factibles de haber hecho algo de manera diferente para mejorar aún más tu día.

Digamos que Rob entró a una tienda y vio una chica linda. La miró con mucha admiración, pero no encontró la valentía para acercarse y saludarla. Él podría haberse pateado a sí mismo por no haberse acercado. Sin embargo, no todo está perdido. Cuando escriba en esta sección esa noche, él se darà cuenta de que, si pudiera volver en el tiempo mágicamente, habría reunido el coraje para saludarla. Él escribe:

¿Cómo podría haber mejorado aún más el día de hoy?

Me acerqué a la desconocida en la cafetería y la saludé.

Y así empieza a construir un patrón en su vida basado en mirar de frente a los problemas y buscar las acciones que puede ejecutar para superarlos. Con el tiempo, este ejercicio puede empezar a cambiar la manera en que miras los problemas y ayudarte, de manera automática, a encarar las acciones que deseas tomar.

Aquí tenemos más ejemplos:

Dejo la cama hecha en la mañana

Llamo a mamá para preguntarle cómo le va.

La mayoría de las personas sonreirán al momento de escribir esto (¿por qué será?).

Retos semanales

Los retos semanales te instarán a tomar acciones fuera de tu zona de confort, donde se da el verdadero crecimiento. Estos son asignados en un día aleatorio de la semana, en vez de la cita diaria.

"La medida de un hombre no es la posición que asume en momentos de comodidad y conveniencia, sino la posición que está dispuesto a asumir en tiempos de retos y controversia."

–MARTIN LUTHER KING, JR.

Hace varios miles de años, nuestros ancestros debían lidiar con retos peligrosos y de toda índole: desde permanecer lo suficientemente cálidos en temperaturas por debajo de los cero grados, hasta enfrentarse a otras tribus y animales en pos de sobrevivir. Estos eran el hombre y la mujer paleolíticos, diseñados por naturaleza para ser increíblemente adaptativos; prosperaban a través de lo mejor y de lo peor, de las guerras, del hambre, y de las eras de hielo.

Adelantemos varios miles de años y el reto decisivo para los veinteañeros de nuestra era pareciera ser llegar al Nivel 3 en el juego de moda para su celular. Vaya que sí se ha progresado.

Los retos semanales proporcionados en este libro te ayudarán a descubrir tus miedos y tratarlos como aliados en pos del desarrollo en tu vida. Trata cada rato como una misión y un experimento para tu vida. Puede que hasta lo disfrutes.

Mi compromiso

Yo, *Chloe Moore*, me comprometo a escribir en Mi Diario en Cinco Minutos por al menos 5 días consecutivos, empezando el *1ro Mayo*.

Escribir este diario es verdaderamente importante para mí debido a que,

Me estoy comprometiendo a una vida mejor

Quiero crear más abundancia en mi vida

Necesito más disciplina en mi vida

Si escribo en este diario por 5 días, me recompensaré con

Un viaje de esquí con mi pareja.

Si no escribo en este diario por 5 días, prometo que

Donaré $100 a una organización benéfica que no apoyo.

Haré las siguientes cosas para asegurar que escribiré en Mi Diario en Cinco Minutos todos los días:

Mantener Mi Diario en Cinco Minutos justo al lado de mi cama

Cepillarme los dientes sólo después de haber escrito en el diario

Programar mi alarma sólo después de escribir mi diario por la noche

Compartir mi compromiso con alguien a quien amo

Consentirme con una deliciosa taza de chocolate caliente después de escribir mi diario por la mañana

LLENA LOS ESPACIOS EN BLANCO

Yo, ______________, me comprometo a escribir en Mi Diario en Cinco Minutos por al menos 5 días consecutivos, empezando___________ .

Escribir en este diario es verdaderamente importante para mí porque, ____

______________________________ _______________________

____

____

____

Si escribo en este diario por 5 días, me recompensaré con ______

____

Si no escribo en este diario por 5 días, prometo que ___________

____

Haré las siguientes cosas para asegurar que me dedicaré a Mi Diario en Cinco Minutos todos los días:

____

______________________ ____________________________

____ _______

____

____

La solución de constancia

***"Mejorar no es inevitable.
El cambio sí".***

–DESCONOCIDO

¡Felicitaciones! Te acabas de comprometer a cinco días consecutivos de dedicarte con constancia a escribir este diario. Es creencia popular que, si logras vencer la resistencia y llevas a cabo una determinada acción por cierta cantidad de días consecutivos, se convertirá en un hábito estable. Para darte ventaja y asegurarnos de que te mantengas con constancia en el compromiso, aquí te damos un poco de motivación saludable para asegurarte de que este hábito se te pegue:

Las Malas Noticias: Investigaciones en 2010 demostraron que el 88% de las personas que hacen resoluciones de Año Nuevo no las cumplen[7].

Las Buenas Noticias: Estás por encima de eso. Ya has tomado muchos pasos para asegurarte de que estás en el camino correcto.

Las Mejores Noticias: En las próximas páginas conseguirás consejos y trucos para consolidar tu compromiso.

Verdad y acciones

¿Cómo puedes saber que hoy eres mejor que hace tres años?

No puedes, a menos de que lleves cuentas. Es muy fácil asumir que somos más lúcidos, más maduros, más inteligentes y más sabios en nuestros cuarentas que como adolescentes. Un veinteañero ignorante probablemente terminará como un octogenario increíblemente ignorante. Del mismo modo, un adolescente inteligente y empeñado en ganar sabiduría puede terminar como un sabio y respetable treintañero.
¿La diferencia? Sigue leyendo.

Verdad aterradora #1

LAS ACTIVIDADES MINÚSCULAS DE TU VIDA PUEDEN LLEVAR A MEJORAS (O CONTRATIEMPOS) MASIVOS.

Esa expo-empleo te puede llevar al trabajo de tus sueños. Un nuevo amigo dedicado al ejercicio te inspira a entrenar con regularidad, llevándote a la mejor condición de tu vida. Iniciar tus mañanas con el pie correcto, puede otorgarte los días más productivos de tu vida. Ese es el objetivo del diario que tienes entre manos.

Claro, no todos los cambios son positivos. Esa avería en el tráfico camino a tu entrevista puede destruir la oportunidad del trabajo de tus sueños. Un familiar colérico te hace perder el sueño todas las noches, repitiendo escenarios esperpénticos de lo que debiste haber dicho o hecho.

Por fortuna, no todo el universo es caos. Más allá de todo, siempre hay patrones, líneas guías y ritmos naturales que piden ser descubiertos por las mentes penetrantes.
Esto es liberador.

Verdad aterradora #2

SI NO TE ESTÁS MOVIENDO HACIA ADELANTE, LO MÁS PROBABLE ES QUE ESTÉS MOVIÉNDOTE HACIA ATRÁS. EN LA VIDA UNO NUNCA ESTÁ DETENIDO.

A menos de que hagas un seguimiento y análisis completo de tu día metódicamente, y que descubras cuáles actividades son efectivas y cuáles no - tus actividades diarias no serán nada diferentes al pasear inconsciente de una vaca por el campo. No hay un propósito definido, ni señales que aten tus acciones - están perdidas en la inconsciencia. Crece a través de la reflexión.

Verdad aterradora #3

LA ACCIÓN CORRECTA ES LA SOLUCIÓN UNIVERSAL A CUALQUIER PROBLEMA.

Siéntate con un vaso de tu bebida favorita. Procede a reflexionar sobre las siguientes preguntas:

¿Cuál es tu mayor reto?

Esto puede ir desde crear una mejor relación, hasta sentirte más cómodo bajo tu propia piel o ganar más dinero. Lo más probable es que haya algo que no abandone tu mente. Anótalo sobre papel.

____

____

____

¿Cuál es esa declaración de identidad que cambiaría todo para ti?

Crea una declaración de identidad que remedie el reto estipulado arriba. Cada reto tiene una solución. Utiliza esta declaración en tu diario. Pégate firmemente a esta declaración hasta que se torne en una realidad para tu vida. Lee una vez más esa declaración. Escúlpela con fuerza en tu mente antes de continuar. Algunos ejemplos:

Estoy dando y recibiendo amor pleno.

Me siento en forma y delgado.

Me siento motivado y emocionado durante mi día. Estoy llevando el estilo de vida de mis sueños.

____

Tu declaración de identidad:

____

____

____

____

¿Cuáles son los tres obstáculos más grandes que no te permiten escribir en el diario (matutino o nocturno)?

1. ____
2. ____
3. ____

Escribe por cada obstáculo dos acciones que puedas llevar a cabo para asegurarte de no caer víctima de la pereza.

1. ____

____

2. ____

____

3. ____

____

La clave del crecimiento es aprender a hacer promesas y a mantenerlas.

- STEPHEN R. COVEY

Responsabilidad

Escoge una de las maneras que te ofrecemos para asumir tu responsabilidad sobre tu diario:

• Hemos creado una secuencia especial de correos electrónicos para ayudarte a mantenerte constante con *Mi Diario en Cinco Minutos*. Dirígete a *www.JournalHabit.com* e inscríbete para mantener tu responsabilidad a tope.

• Selecciona un amigo cercano/pareja en quien puedas contar para que te supervise a diario a través de textos – al mejor estilo de un Padrino de AA. Esta opción también puede funcionar de maravilla si recibiste esto como regalo de un amigo.

• Si te sientes cómodo trabajando con bolígrafo y papel, sólo tacha en un calendario cada día en que escribas en el diario. No hay nada más poderoso que un recordatorio visual de compromiso.

• Puedes utilizar aplicaciones tales como *www.coach.me* o *www.stickk.com* para mantenerte responsable.

Selecciona tu método de hacerte responsable, ¡y empecemos!

El diario

FECHA 07 / 05 / 2018

Un corazón agradecido no es sólo la mayor virtud, sino la fuente de todas las virtudes.

CICERÓN

Estoy agradecido por...

1. Estoy agradecido por la acogedora cama en la que duermo.
2. Estoy agradecido porque mi cuerpo funciona en perfecta armonía
3. Estoy agradecido por los amigos increíbles que tengo en mi vida.

¿Qué haré para que hoy sea un excelente día?

1. Tomarme un tiempo adicional para mí antes de salir al trabajo
2. Enviarle una nota de agradecimiento a mamá
3. Acostarme a dormir antes de las 10 pm

Afirmaciones diarias. Soy...

Soy confiado, me siento cómodo conmigo mismo y vivo con pasión y un propósito en mente.

3 cosas asombrosas que sucedieron hoy...

1. Me acordé de usar hilo dental.
2. Un amigo me recomendó un libro maravilloso.
3. Vi a un(a) atractivo(a) desconocido(a) en la cafetería.

¿Cómo podría haber mejorado aún más el día de hoy?

Levantarme justo cuando la alarma suena.

Ir al gimnasio por la mañana.

FECHA ____/____/20____

Y de repente ya sabes, es hora de empezar algo nuevo y confiar en la magia de los comienzos.

MEISTER ECKHART

Estoy agradecido por...

1. ____________________
2. ____________________
3. ____________________

¿Qué haré para que hoy sea un excelente día?

1. ____________________
2. ____________________
3. ____________________

Afirmaciones diarias. Soy...

____

____

3 cosas asombrosas que sucedieron hoy…

1. ____________________
2. ____________________
3. ____________________

¿Cómo podría haber mejorado aún más el día de hoy?

____

____

FECHA ____/____/20______

Mientras expresamos nuestra gratitud, nunca debemos olvidar que la más grande apreciación no es pronunciar palabras, sino vivir por ellas.

JOHN F. KENNEDY

Estoy agradecido por...

1. ______
2. ______
3. ______

¿Qué haré para que hoy sea un excelente día?

1. ______
2. ______
3. ______

Afirmaciones diarias. Soy...

______

______

3 cosas asombrosas que sucedieron hoy...

1. ______
2. ______
3. ______

¿Cómo podría haber mejorado aún más el día de hoy?

______

______

FECHA ____/____/20______

RETO SEMANAL

Un viejo amigo con el que me he querido comunicar es __________. Llama a esta persona hoy.

Estoy agradecido por...

1. ____________________
2. ____________________
3. ____________________

¿Qué haré para que hoy sea un excelente día?

1. ____________________
2. ____________________
3. ____________________

Afirmaciones diarias. Soy...

____

____

3 cosas asombrosas que sucedieron hoy…

1. ____________________
2. ____________________
3. ____________________

¿Cómo podría haber mejorado aún más el día de hoy?

____

____

FECHA ____/____/20____

"Sólo hay una manera de aprender", respondió el alquimista. "Es a través de la acción".

PAULO COELHO

Estoy agradecido por...

1. ____________________
2. ____________________
3. ____________________

¿Qué haré para que hoy sea un excelente día?

1. ____________________
2. ____________________
3. ____________________

Afirmaciones diarias. Soy...

____

____

3 cosas asombrosas que sucedieron hoy…

1. ____________________
2. ____________________
3. ____________________

¿Cómo podría haber mejorado aún más el día de hoy?

____

____

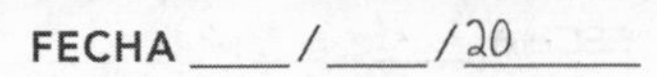
FECHA ____/____/20____

Este es un día maravilloso. Nunca he visto esto antes.

MAYA ANGELOU

Estoy agradecido por...

1. ____________________
2. ____________________
3. ____________________

¿Qué haré para que hoy sea un excelente día?

1. ____________________
2. ____________________
3. ____________________

Afirmaciones diarias. Soy...

____

____

3 cosas asombrosas que sucedieron hoy…

1. ____________________
2. ____________________
3. ____________________

¿Cómo podría haber mejorado aún más el día de hoy?

____

____

FECHA ____ / ____ / 20____

Amar y ganar es lo mejor; amar y perder es lo mejor luego de eso.

WILLIAM MAKEPEACE THACKERAY

Estoy agradecido por...

1. ____________________
2. ____________________
3. ____________________

¿Qué haré para que hoy sea un excelente día?

1. ____________________
2. ____________________
3. ____________________

Afirmaciones diarias. Soy...

____

____

3 cosas asombrosas que sucedieron hoy…

1. ____________________
2. ____________________
3. ____________________

¿Cómo podría haber mejorado aún más el día de hoy?

____

____

FECHA ____/____/20______

La gratitud y la actitud no son desafíos; son opciones.
ROBERT BRAATHE

Estoy agradecido por...

1. ______
2. ______
3. ______

¿Qué haré para que hoy sea un excelente día?

1. ______
2. ______
3. ______

Afirmaciones diarias. Soy...

______

______

3 cosas asombrosas que sucedieron hoy…

1. ______
2. ______
3. ______

¿Cómo podría haber mejorado aún más el día de hoy?

______

______

FECHA ____/____/20______ 

La forma de desarrollar lo mejor que hay en una persona es mediante el aprecio y estímulo.

CHARLES SCHWAB

Estoy agradecido por...

1. ______
2. ______
3. ______

¿Qué haré para que hoy sea un excelente día?

1. ______
2. ______
3. ______

Afirmaciones diarias. Soy...

______

______

3 cosas asombrosas que sucedieron hoy…

1. ______
2. ______
3. ______

¿Cómo podría haber mejorado aún más el día de hoy?

______

______

FECHA ____/____/20______

RETO SEMANAL

Uno de mis libros favoritos es ________________.
Comprométete a leerlo hoy mismo.

Estoy agradecido por...

1. ______________________________
2. ______________________________
3. ______________________________

¿Qué haré para que hoy sea un excelente día?

1. ______________________________
2. ______________________________
3. ______________________________

Afirmaciones diarias. Soy...

____

____

3 cosas asombrosas que sucedieron hoy...

1. ______________________________
2. ______________________________
3. ______________________________

¿Cómo podría haber mejorado aún más el día de hoy?

____

____

FECHA ____ / ____ / 20______

Quizás para el mundo puedes ser sólo una persona, pero para una persona puedes ser el mundo.

BRANDI SNYDER

Estoy agradecido por...

1. ______
2. ______
3. ______

¿Qué haré para que hoy sea un excelente día?

1. ______
2. ______
3. ______

Afirmaciones diarias. Soy...

______

______

3 cosas asombrosas que sucedieron hoy…

1. ______
2. ______
3. ______

¿Cómo podría haber mejorado aún más el día de hoy?

______

______

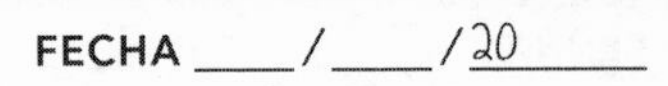
FECHA ____/____/20____

Las preocupaciones, como una mecedora, te darán algo que hacer, pero no te llevarán a ninguna parte.
VANCE HAVNER

Estoy agradecido por...

1. ______
2. ______
3. ______

¿Qué haré para que hoy sea un excelente día?

1. ______
2. ______
3. ______

Afirmaciones diarias. Soy...

______

______

3 cosas asombrosas que sucedieron hoy…

1. ______
2. ______
3. ______

¿Cómo podría haber mejorado aún más el día de hoy?

______

______

FECHA ____ / ____ / 20 ______

La vida se encoge o se expande en proporción a nuestro valor.

ANAÏS NIN

Estoy agradecido por...

1. ______________________
2. ______________________
3. ______________________

¿Qué haré para que hoy sea un excelente día?

1. ______________________
2. ______________________
3. ______________________

Afirmaciones diarias. Soy...

____

____

3 cosas asombrosas que sucedieron hoy…

1. ______________________
2. ______________________
3. ______________________

¿Cómo podría haber mejorado aún más el día de hoy?

____

____

FECHA ____ / ____ /20____

La vida es como andar en bicicleta.
Para mantener tu balance debes seguir moviéndote.

ALBERT EINSTEIN

Estoy agradecido por...

1. ______
2. ______
3. ______

¿Qué haré para que hoy sea un excelente día?

1. ______
2. ______
3. ______

Afirmaciones diarias. Soy...

______

______

3 cosas asombrosas que sucedieron hoy…

1. ______
2. ______
3. ______

¿Cómo podría haber mejorado aún más el día de hoy?

______

______

FECHA ____/____/20____

Cuando odias a una persona, odias algo de ella que forma parte de ti mismo. Lo que no forma parte de nosotros no nos molesta.

HERMAN HESSE

Estoy agradecido por...

1. ______________________________
2. ______________________________
3. ______________________________

¿Qué haré para que hoy sea un excelente día?

1. ______________________________
2. ______________________________
3. ______________________________

Afirmaciones diarias. Soy...

____

____

3 cosas asombrosas que sucedieron hoy…

1. ______________________________
2. ______________________________
3. ______________________________

¿Cómo podría haber mejorado aún más el día de hoy?

____

____

FECHA ____/____/20______

RETO SEMANAL

Baila espontáneamente por 1 minuto ahora mismo.

Estoy agradecido por...

1. ______________________________
2. ______________________________
3. ______________________________

¿Qué haré para que hoy sea un excelente día?

1. ______________________________
2. ______________________________
3. ______________________________

Afirmaciones diarias. Soy...

____

____

3 cosas asombrosas que sucedieron hoy…

1. ______________________________
2. ______________________________
3. ______________________________

¿Cómo podría haber mejorado aún más el día de hoy?

____

____

FECHA ____ / ____ / 20____

No importa cuál sea la situación, el curso correcto de acción es siempre la compasión y el amor.

NEIL STRAUSS

Estoy agradecido por...

1. ______
2. ______
3. ______

¿Qué haré para que hoy sea un excelente día?

1. ______
2. ______
3. ______

Afirmaciones diarias. Soy...

______

______

3 cosas asombrosas que sucedieron hoy…

1. ______
2. ______
3. ______

¿Cómo podría haber mejorado aún más el día de hoy?

______

______

FECHA ____ / ____ / 20____

En su lecho de muerte, la gente no piensa en su trabajo o en sus experiencias de vida o en las cosas que quedan en su lista de tareas pendientes. Piensan en el amor y la familia.

RICK RUBIN

Estoy agradecido por...

1. ______
2. ______
3. ______

¿Qué haré para que hoy sea un excelente día?

1. ______
2. ______
3. ______

Afirmaciones diarias. Soy...

______

______

3 cosas asombrosas que sucedieron hoy…

1. ______
2. ______
3. ______

¿Cómo podría haber mejorado aún más el día de hoy?

______

______

FECHA ____ / ____ / 20 ______

*La mayor de las emociones humanas es el amor.
El más precioso don en el ser humano es la capacidad
de aprender. Por lo tanto, aprende a amar.*

UJ RAMDAS

Estoy agradecido por...

1. ______________________
2. ______________________
3. ______________________

¿Qué haré para que hoy sea un excelente día?

1. ______________________
2. ______________________
3. ______________________

Afirmaciones diarias. Soy...

____

____

3 cosas asombrosas que sucedieron hoy…

1. ______________________
2. ______________________
3. ______________________

¿Cómo podría haber mejorado aún más el día de hoy?

____

____

FECHA ____/____/20______

Quien tiene un 'porqué' para vivir,
encontrará casi siempre el 'cómo'.

NIETZSCHE

Estoy agradecido por...

1. ______________________
2. ______________________
3. ______________________

¿Qué haré para que hoy sea un excelente día?

1. ______________________
2. ______________________
3. ______________________

Afirmaciones diarias. Soy...

____

____

3 cosas asombrosas que sucedieron hoy...

1. ______________________
2. ______________________
3. ______________________

¿Cómo podría haber mejorado aún más el día de hoy?

____

____

FECHA ____/____/20____

El trabajo que hallamos más satisfactorio es casi siempre una recreación y extensión del juego juvenil.

VICTOR FRANKL

Estoy agradecido por...

1. ______________________________
2. ______________________________
3. ______________________________

¿Qué haré para que hoy sea un excelente día?

1. ______________________________
2. ______________________________
3. ______________________________

Afirmaciones diarias. Soy...

____

____

3 cosas asombrosas que sucedieron hoy...

1. ______________________________
2. ______________________________
3. ______________________________

¿Cómo podría haber mejorado aún más el día de hoy?

____

____

FECHA ____/____/20______

RETO SEMANAL

Alguien que amo mucho es ________.
Escríbele una carta o un mensaje de texto sobre lo que sientes por él o ella.

Estoy agradecido por...

1. ______________________________
2. ______________________________
3. ______________________________

¿Qué haré para que hoy sea un excelente día?

1. ______________________________
2. ______________________________
3. ______________________________

Afirmaciones diarias. Soy...

____

____

3 cosas asombrosas que sucedieron hoy…

1. ______________________________
2. ______________________________
3. ______________________________

¿Cómo podría haber mejorado aún más el día de hoy?

____

____

FECHA ____/____/20____

Ser carismático no depende del tiempo que tengamos sino de lo presentes que estemos en cada interacción.

OLIVIA FOX CABANE

Estoy agradecido por...

1. ______________________
2. ______________________
3. ______________________

¿Qué haré para que hoy sea un excelente día?

1. ______________________
2. ______________________
3. ______________________

Afirmaciones diarias. Soy...

____

____

3 cosas asombrosas que sucedieron hoy…

1. ______________________
2. ______________________
3. ______________________

¿Cómo podría haber mejorado aún más el día de hoy?

____

____

FECHA ____/____/20 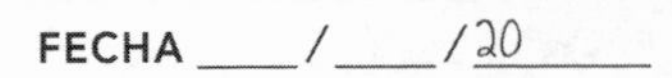

Pasa tu tiempo libre de la manera que desees, no de la forma que piensas que debes hacerlo.

SUSAN CAIN

Estoy agradecido por...

1. ____
2. ____
3. ____

¿Qué haré para que hoy sea un excelente día?

1. ____
2. ____
3. ____

Afirmaciones diarias. Soy...

____

____

3 cosas asombrosas que sucedieron hoy…

1. ____
2. ____
3. ____

¿Cómo podría haber mejorado aún más el día de hoy?

____

____

FECHA ____/____/20____

No es que yo sea muy inteligente, sino que dedico más tiempo a resolver los problemas.

ALBERT EINSTEIN

Estoy agradecido por...

1. ____________________
2. ____________________
3. ____________________

¿Qué haré para que hoy sea un excelente día?

1. ____________________
2. ____________________
3. ____________________

Afirmaciones diarias. Soy...

____

____

3 cosas asombrosas que sucedieron hoy…

1. ____________________
2. ____________________
3. ____________________

¿Cómo podría haber mejorado aún más el día de hoy?

____

____

FECHA ____/____/20______

Todo en la vida se mueve y cambia constantemente. La vida es aceptar este cambio, ya que el cambio es la única cosa segura en la vida.

MIMI IKONN

Estoy agradecido por...

1. ______
2. ______
3. ______

¿Qué haré para que hoy sea un excelente día?

1. ______
2. ______
3. ______

Afirmaciones diarias. Soy...

______

______

3 cosas asombrosas que sucedieron hoy…

1. ______
2. ______
3. ______

¿Cómo podría haber mejorado aún más el día de hoy?

______

______

FECHA ____/____/20______

Sabed que cuando uno es amigo de sí mismo,
lo es también de todo el mundo.

SÉNECA

Estoy agradecido por...

1. ______________________________
2. ______________________________
3. ______________________________

¿Qué haré para que hoy sea un excelente día?

1. ______________________________
2. ______________________________
3. ______________________________

Afirmaciones diarias. Soy...

____

____

3 cosas asombrosas que sucedieron hoy…

1. ______________________________
2. ______________________________
3. ______________________________

¿Cómo podría haber mejorado aún más el día de hoy?

____

____

FECHA ____/____/20______

RETO SEMANAL

Dona hoy $10 a una organización benéfica de tu elección.

Estoy agradecido por...

1. ______
2. ______
3. ______

¿Qué haré para que hoy sea un excelente día?

1. ______
2. ______
3. ______

Afirmaciones diarias. Soy...

______

______

3 cosas asombrosas que sucedieron hoy…

1. ______
2. ______
3. ______

¿Cómo podría haber mejorado aún más el día de hoy?

______

______

La medida última de nuestras vidas no es cuánto tiempo pasamos en el planeta, sino más bien cuánta energía invertimos en el tiempo que tenemos.

TONY SCHWARTZ

Estoy agradecido por...

1. ______
2. ______
3. ______

¿Qué haré para que hoy sea un excelente día?

1. ______
2. ______
3. ______

Afirmaciones diarias. Soy...

______

______

3 cosas asombrosas que sucedieron hoy…

1. ______
2. ______
3. ______

¿Cómo podría haber mejorado aún más el día de hoy?

______

______

FECHA ____/____/20____

Afrontando el miedo, te has abierto a un amor lo suficientemente grande para sostener al temeroso que yace dentro de ti.

TARA BRACH

Estoy agradecido por...

1. ____________________
2. ____________________
3. ____________________

¿Qué haré para que hoy sea un excelente día?

1. ____________________
2. ____________________
3. ____________________

Afirmaciones diarias. Soy...

____

____

3 cosas asombrosas que sucedieron hoy…

1. ____________________
2. ____________________
3. ____________________

¿Cómo podría haber mejorado aún más el día de hoy?

____

____

FECHA ____/____/20______

No podemos hacer grandes cosas,
sólo pequeñas cosas con gran amor.
MADRE TERESA

Estoy agradecido por...

1. ______
2. ______
3. ______

¿Qué haré para que hoy sea un excelente día?

1. ______
2. ______
3. ______

Afirmaciones diarias. Soy...

______

______

3 cosas asombrosas que sucedieron hoy…

1. ______
2. ______
3. ______

¿Cómo podría haber mejorado aún más el día de hoy?

______

______

FECHA ____/____/20______

Da luz y la oscuridad desaparecerá por sí misma.

DESIDERIUS ERASMUS

Estoy agradecido por...

1. ____________________
2. ____________________
3. ____________________

¿Qué haré para que hoy sea un excelente día?

1. ____________________
2. ____________________
3. ____________________

Afirmaciones diarias. Soy...

____

____

3 cosas asombrosas que sucedieron hoy…

1. ____________________
2. ____________________
3. ____________________

¿Cómo podría haber mejorado aún más el día de hoy?

____

____

FECHA ____/____/20______

Si estamos tan ocupados siendo exitosos que no tenemos tiempo para ser felices. Entonces tenemos que reconsiderar seriamente nuestra definición de éxito.

MARIA POPOVA

Estoy agradecido por...

1. ________________
2. ________________
3. ________________

¿Qué haré para que hoy sea un excelente día?

1. ________________
2. ________________
3. ________________

Afirmaciones diarias. Soy...

____

____

3 cosas asombrosas que sucedieron hoy…

1. ________________
2. ________________
3. ________________

¿Cómo podría haber mejorado aún más el día de hoy?

____

____

FECHA ____/____/20____

RETO SEMANAL

Mira "El Poder de la Vulnerabilidad" de Brene Brown en TED talk. Búscalo en YouTube.

Estoy agradecido por...

1. ______________________________
2. ______________________________
3. ______________________________

¿Qué haré para que hoy sea un excelente día?

1. ______________________________
2. ______________________________
3. ______________________________

Afirmaciones diarias. Soy...

____

____

3 cosas asombrosas que sucedieron hoy…

1. ______________________________
2. ______________________________
3. ______________________________

¿Cómo podría haber mejorado aún más el día de hoy?

____

____

FECHA ____ / ____ / 20______

Un yo no es algo estático, que se ata en un bonito paquete y se entrega a un niño, terminado y completo. Un yo está cambiando constantemente.

MADELEINE L'ENGLE

Estoy agradecido por...

1. ______
2. ______
3. ______

¿Qué haré para que hoy sea un excelente día?

1. ______
2. ______
3. ______

Afirmaciones diarias. Soy...

______

______

3 cosas asombrosas que sucedieron hoy...

1. ______
2. ______
3. ______

¿Cómo podría haber mejorado aún más el día de hoy?

______

______

FECHA ____/____/20____

Muchas personas tienen una idea errónea de lo que constituye felicidad verdadera. No se logra a través de la autogratificación sino a través de la fidelidad a un propósito digno..

HELEN KELLER

Estoy agradecido por...

1. ____________________
2. ____________________
3. ____________________

¿Qué haré para que hoy sea un excelente día?

1. ____________________
2. ____________________
3. ____________________

Afirmaciones diarias. Soy...

____

____

3 cosas asombrosas que sucedieron hoy…

1. ____________________
2. ____________________
3. ____________________

¿Cómo podría haber mejorado aún más el día de hoy?

____

____

FECHA ____ / ____ / 20______

Para lograr ser bueno, es útil estar dispuesto, incluso entusiasmado, a ser malo.

DANIEL COYLE

Estoy agradecido por...

1. ______________________________
2. ______________________________
3. ______________________________

¿Qué haré para que hoy sea un excelente día?

1. ______________________________
2. ______________________________
3. ______________________________

Afirmaciones diarias. Soy...

____

____

3 cosas asombrosas que sucedieron hoy...

1. ______________________________
2. ______________________________
3. ______________________________

¿Cómo podría haber mejorado aún más el día de hoy?

____

____

FECHA ____/____/20_____

Un poco de cariño, un poco de compartir,
de eso se trata la vida.

OSHO

Estoy agradecido por...

1. ______
2. ______
3. ______

¿Qué haré para que hoy sea un excelente día?

1. ______
2. ______
3. ______

Afirmaciones diarias. Soy...

______

______

3 cosas asombrosas que sucedieron hoy…

1. ______
2. ______
3. ______

¿Cómo podría haber mejorado aún más el día de hoy?

______

______

FECHA ____/____/20

RETO SEMANAL

Llama a un amigo y pídele que hagan una actividad juntos hoy – ir a dar un paseo, hacer la cena juntos, ir a los bolos, etc.

Estoy agradecido por...

1. ______________________________
2. ______________________________
3. ______________________________

¿Qué haré para que hoy sea un excelente día?

1. ______________________________
2. ______________________________
3. ______________________________

Afirmaciones diarias. Soy...

____

____

3 cosas asombrosas que sucedieron hoy…

1. ______________________________
2. ______________________________
3. ______________________________

¿Cómo podría haber mejorado aún más el día de hoy?

____

____

FECHA ____/____/20____

Todos nuestros sueños pueden hacerse realidad, si tenemos el coraje de perseguirlos.
WALT DISNEY

Estoy agradecido por...

1. ________________
2. ________________
3. ________________

¿Qué haré para que hoy sea un excelente día?

1. ________________
2. ________________
3. ________________

Afirmaciones diarias. Soy...

____

____

3 cosas asombrosas que sucedieron hoy…

1. ________________
2. ________________
3. ________________

¿Cómo podría haber mejorado aún más el día de hoy?

____

____

FECHA ____/____/20______

Para evitar la crítica, no digas nada, no hagas nada, no seas nada.

FRED SHERO

Estoy agradecido por...

1. ______________________________
2. ______________________________
3. ______________________________

¿Qué haré para que hoy sea un excelente día?

1. ______________________________
2. ______________________________
3. ______________________________

Afirmaciones diarias. Soy...

____

____

3 cosas asombrosas que sucedieron hoy...

1. ______________________________
2. ______________________________
3. ______________________________

¿Cómo podría haber mejorado aún más el día de hoy?

____

____

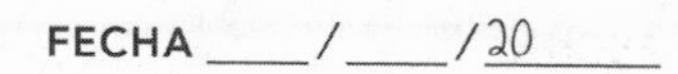

El obstáculo es una ventaja, no una adversidad.
El enemigo es cualquier percepción que nos impide ver esto.

RYAN HOLIDAY

Estoy agradecido por...

1. ______
2. ______
3. ______

¿Qué haré para que hoy sea un excelente día?

1. ______
2. ______
3. ______

Afirmaciones diarias. Soy...

______

______

3 cosas asombrosas que sucedieron hoy…

1. ______
2. ______
3. ______

¿Cómo podría haber mejorado aún más el día de hoy?

______

______

FECHA ____ / ____ / 20 ______

Deje de preguntar lo que otros pueden hacer por nosotros, y empiece a preguntar qué podemos hacer por los demás.

AUSTIN KLEON

Estoy agradecido por...

1. ______
2. ______
3. ______

¿Qué haré para que hoy sea un excelente día?

1. ______
2. ______
3. ______

Afirmaciones diarias. Soy...

______

______

3 cosas asombrosas que sucedieron hoy…

1. ______
2. ______
3. ______

¿Cómo podría haber mejorado aún más el día de hoy?

______

______

FECHA ____/____/20____

RETO SEMANAL

Pasa un día sin quejarte.
Una semana, si piensas que no te quejas.

Estoy agradecido por...

1. ______________________________
2. ______________________________
3. ______________________________

¿Qué haré para que hoy sea un excelente día?

1. ______________________________
2. ______________________________
3. ______________________________

Afirmaciones diarias. Soy...

____

____

3 cosas asombrosas que sucedieron hoy…

1. ______________________________
2. ______________________________
3. ______________________________

¿Cómo podría haber mejorado aún más el día de hoy?

____

____

FECHA ____/____/20____

El asunto con ir escalando, es que tenemos que continuar ascendiendo. El asunto con ir avanzando, es que tenemos que continuar en esa senda. Cada uno de nosotros puede hacer algo mejor que darse por vencido.

CHERYL STRAYED

Estoy agradecido por...

1. ______
2. ______
3. ______

¿Qué haré para que hoy sea un excelente día?

1. ______
2. ______
3. ______

Afirmaciones diarias. Soy...

______

______

3 cosas asombrosas que sucedieron hoy…

1. ______
2. ______
3. ______

¿Cómo podría haber mejorado aún más el día de hoy?

______

______

FECHA ____/____/20____

Reconocer el bien que ya tienes en tu vida
es la base de toda abundancia.
ECKHART TOLLE

Estoy agradecido por...

1. ____________________
2. ____________________
3. ____________________

¿Qué haré para que hoy sea un excelente día?

1. ____________________
2. ____________________
3. ____________________

Afirmaciones diarias. Soy...

____

____

3 cosas asombrosas que sucedieron hoy…

1. ____________________
2. ____________________
3. ____________________

¿Cómo podría haber mejorado aún más el día de hoy?

____

____

FECHA ____ / ____ / 20____

Ser un dador no requiere actos extraordinarios de sacrificio. Sólo implica un enfoque de actuar en beneficio de los demás.

ADAM M. GRANT

Estoy agradecido por...

1. ____________________
2. ____________________
3. ____________________

¿Qué haré para que hoy sea un excelente día?

1. ____________________
2. ____________________
3. ____________________

Afirmaciones diarias. Soy...

____

____

3 cosas asombrosas que sucedieron hoy…

1. ____________________
2. ____________________
3. ____________________

¿Cómo podría haber mejorado aún más el día de hoy?

____

____

FECHA ____ / ____ / 20______

No hay que cesar de repetirlo: la vida es toda una. Esa, y sospecho que siempre será, la más profunda y veraz de las afirmaciones.

BILL BRYSON

Estoy agradecido por...

1. ______________________________
2. ______________________________
3. ______________________________

¿Qué haré para que hoy sea un excelente día?

1. ______________________________
2. ______________________________
3. ______________________________

Afirmaciones diarias. Soy...

____

____

3 cosas asombrosas que sucedieron hoy…

1. ______________________________
2. ______________________________
3. ______________________________

¿Cómo podría haber mejorado aún más el día de hoy?

____

____

FECHA ____ / ____ / 20____

La mejor manera de mejorar tu auto-control
es ver cómo y porqué lo pierdes.

KELLY MCGONIGAL

Estoy agradecido por...

1. ____________________
2. ____________________
3. ____________________

¿Qué haré para que hoy sea un excelente día?

1. ____________________
2. ____________________
3. ____________________

Afirmaciones diarias. Soy...

____

____

3 cosas asombrosas que sucedieron hoy…

1. ____________________
2. ____________________
3. ____________________

¿Cómo podría haber mejorado aún más el día de hoy?

____

____

FECHA ____/____/20____

El coraje es una historia de amor con lo desconocido.

OSHO

Estoy agradecido por...

1. ______
2. ______
3. ______

¿Qué haré para que hoy sea un excelente día?

1. ______
2. ______
3. ______

Afirmaciones diarias. Soy...

______

______

3 cosas asombrosas que sucedieron hoy…

1. ______
2. ______
3. ______

¿Cómo podría haber mejorado aún más el día de hoy?

______

______

FECHA ____/____/20____

RETO SEMANAL

Hoy, deshazte de una cosa que posees que ya no te provoca alegría.

Estoy agradecido por...

1. ____________________
2. ____________________
3. ____________________

¿Qué haré para que hoy sea un excelente día?

1. ____________________
2. ____________________
3. ____________________

Afirmaciones diarias. Soy...

____

____

3 cosas asombrosas que sucedieron hoy…

1. ____________________
2. ____________________
3. ____________________

¿Cómo podría haber mejorado aún más el día de hoy?

____

____

FECHA ____/____/20____

La vida no es un problema a resolver,
sino una realidad para ser vivida.

SOREN KIERKEGAARD

Estoy agradecido por...

1. ____________________
2. ____________________
3. ____________________

¿Qué haré para que hoy sea un excelente día?

1. ____________________
2. ____________________
3. ____________________

Afirmaciones diarias. Soy...

____

____

3 cosas asombrosas que sucedieron hoy…

1. ____________________
2. ____________________
3. ____________________

¿Cómo podría haber mejorado aún más el día de hoy?

____

____

FECHA ____/____/20______

No es justo pedir a otros que hagan lo que no está dispuesto a hacer usted mismo.
ELEANOR ROOSEVELT

Estoy agradecido por...

1. ______
2. ______
3. ______

¿Qué haré para que hoy sea un excelente día?

1. ______
2. ______
3. ______

Afirmaciones diarias. Soy...

______

______

3 cosas asombrosas que sucedieron hoy…

1. ______
2. ______
3. ______

¿Cómo podría haber mejorado aún más el día de hoy?

______

______

FECHA ____/____/20______

Si no somos nosotros, entonces, ¿quién?
Si no es ahora, entonces, ¿cuando?

HILLEL EL ANCIANO

Estoy agradecido por...

1. ______________________________
2. ______________________________
3. ______________________________

¿Qué haré para que hoy sea un excelente día?

1. ______________________________
2. ______________________________
3. ______________________________

Afirmaciones diarias. Soy...

____

____

3 cosas asombrosas que sucedieron hoy…

1. ______________________________
2. ______________________________
3. ______________________________

¿Cómo podría haber mejorado aún más el día de hoy?

____

____

FECHA ____/____/20______

Si quieres cambiar tu vida, haz la prueba de agradecer. Tu existencia cambiará poderosamente.

GERALD GOOD

Estoy agradecido por...

1. ______________________
2. ______________________
3. ______________________

¿Qué haré para que hoy sea un excelente día?

1. ______________________
2. ______________________
3. ______________________

Afirmaciones diarias. Soy...

____

____

3 cosas asombrosas que sucedieron hoy…

1. ______________________
2. ______________________
3. ______________________

¿Cómo podría haber mejorado aún más el día de hoy?

____

____

FECHA ____/____/20______

Busca feedback constante y crítico. Si no sabes cómo lo estás haciendo, nunca sabrás cómo mejorar. Concéntrate firmemente en donde mayor ayuda necesitas.

DANIEL PINK

Estoy agradecido por...

1. ______
2. ______
3. ______

¿Qué haré para que hoy sea un excelente día?

1. ______
2. ______
3. ______

Afirmaciones diarias. Soy...

______

______

3 cosas asombrosas que sucedieron hoy…

1. ______
2. ______
3. ______

¿Cómo podría haber mejorado aún más el día de hoy?

______

______

FECHA ____/____/20____

Ver las cosas desde el punto de vista de otras personas, es prácticamente el secreto del éxito.

PAUL GRAHAM

Estoy agradecido por...

1. ____________________
2. ____________________
3. ____________________

¿Qué haré para que hoy sea un excelente día?

1. ____________________
2. ____________________
3. ____________________

Afirmaciones diarias. Soy...

____

____

3 cosas asombrosas que sucedieron hoy…

1. ____________________
2. ____________________
3. ____________________

¿Cómo podría haber mejorado aún más el día de hoy?

____

____

FECHA ____ / ____ / 20____

RETO SEMANAL

Medita por 5 minutos o más, justo después de escribir aquí. Sólo concéntrate en observar tu respiración.

Estoy agradecido por...

1. ______
2. ______
3. ______

¿Qué haré para que hoy sea un excelente día?

1. ______
2. ______
3. ______

Afirmaciones diarias. Soy...

______

______

3 cosas asombrosas que sucedieron hoy…

1. ______
2. ______
3. ______

¿Cómo podría haber mejorado aún más el día de hoy?

______

______

FECHA ____/____/20____ 

Las mentes pequeñas son domadas y sometidas por la desgracia; pero las grandes mentes se alzan por encima de ella.

WASHINGTON IRVING

Estoy agradecido por...

1. ______________________________
2. ______________________________
3. ______________________________

¿Qué haré para que hoy sea un excelente día?

1. ______________________________
2. ______________________________
3. ______________________________

Afirmaciones diarias. Soy...

____

____

3 cosas asombrosas que sucedieron hoy…

1. ______________________________
2. ______________________________
3. ______________________________

¿Cómo podría haber mejorado aún más el día de hoy?

____

____

FECHA ____/____/20______

Dale la bienvenida a esos problemas grandes, difíciles y complicados. En ellos están tus oportunidades más poderosas.

RALPH MARSTON

Estoy agradecido por...

1. ______________________________
2. ______________________________
3. ______________________________

¿Qué haré para que hoy sea un excelente día?

1. ______________________________
2. ______________________________
3. ______________________________

Afirmaciones diarias. Soy...

____

____

3 cosas asombrosas que sucedieron hoy…

1. ______________________________
2. ______________________________
3. ______________________________

¿Cómo podría haber mejorado aún más el día de hoy?

____

____

FECHA ____ / ____ / 20______

Eso es lo que yo considero verdadera generosidad: das todo de ti y aun así siempre sientes que no te cuesta nada.

SIMONE DE BEAUVOIR

Estoy agradecido por...

1. ____________________
2. ____________________
3. ____________________

¿Qué haré para que hoy sea un excelente día?

1. ____________________
2. ____________________
3. ____________________

Afirmaciones diarias. Soy...

____

____

3 cosas asombrosas que sucedieron hoy…

1. ____________________
2. ____________________
3. ____________________

¿Cómo podría haber mejorado aún más el día de hoy?

____

____

FECHA ____/____/20____

La belleza verdadera no se basa en la simetría, el peso o el maquillaje; se basa en ver la vida directo a la cara y ver toda su magnificencia reflejada en la tuya.

VALERIE MONROE

Estoy agradecido por...

1. ______________________________
2. ______________________________
3. ______________________________

¿Qué haré para que hoy sea un excelente día?

1. ______________________________
2. ______________________________
3. ______________________________

Afirmaciones diarias. Soy...

____

____

3 cosas asombrosas que sucedieron hoy…

1. ______________________________
2. ______________________________
3. ______________________________

¿Cómo podría haber mejorado aún más el día de hoy?

____

____

FECHA ____/____/20______ 

Sólo se vive una vez, pero si lo haces bien, una vez es suficiente.

MAE WEST

Estoy agradecido por...

1. ______________________________
2. ______________________________
3. ______________________________

¿Qué haré para que hoy sea un excelente día?

1. ______________________________
2. ______________________________
3. ______________________________

Afirmaciones diarias. Soy...

____

____

3 cosas asombrosas que sucedieron hoy…

1. ______________________________
2. ______________________________
3. ______________________________

¿Cómo podría haber mejorado aún más el día de hoy?

____

____

FECHA ____/____/20______

RETO SEMANAL

Escribe una lista con el título "Mi palabra". Ahora anota todos los compromisos que hiciste. ¿Cómo los honrarás?

Estoy agradecido por...

1. ______
2. ______
3. ______

¿Qué haré para que hoy sea un excelente día?

1. ______
2. ______
3. ______

Afirmaciones diarias. Soy...

______

______

3 cosas asombrosas que sucedieron hoy…

1. ______
2. ______
3. ______

¿Cómo podría haber mejorado aún más el día de hoy?

______

______

FECHA ____/____/20____

Si quieres saber cómo es un hombre, echa un vistazo a cómo trata a sus inferiores, no a sus iguales.

J. K. ROWLING

Estoy agradecido por...

1. ____
2. ____
3. ____

¿Qué haré para que hoy sea un excelente día?

1. ____
2. ____
3. ____

Afirmaciones diarias. Soy...

____

____

3 cosas asombrosas que sucedieron hoy…

1. ____
2. ____
3. ____

¿Cómo podría haber mejorado aún más el día de hoy?

____

____

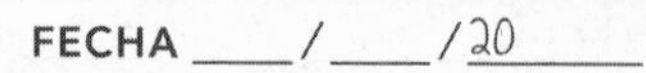
FECHA ____/____/20____

Un amigo es alguien que sabe todo de ti y aun así te ama.
ELBERT HUBBARD

Estoy agradecido por...

1. ______
2. ______
3. ______

¿Qué haré para que hoy sea un excelente día?

1. ______
2. ______
3. ______

Afirmaciones diarias. Soy...

______

______

3 cosas asombrosas que sucedieron hoy…

1. ______
2. ______
3. ______

¿Cómo podría haber mejorado aún más el día de hoy?

______

______

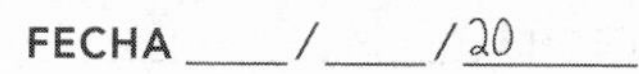
FECHA ____/____/20____

Si alguna vez empiezas a tomar las cosas demasiado en serio, recuerda que sólo somos monos parlantes en una nave espacial orgánica volando por el universo.

JOE ROGAN

Estoy agradecido por...

1. ____________________
2. ____________________
3. ____________________

¿Qué haré para que hoy sea un excelente día?

1. ____________________
2. ____________________
3. ____________________

Afirmaciones diarias. Soy...

____

____

3 cosas asombrosas que sucedieron hoy…

1. ____________________
2. ____________________
3. ____________________

¿Cómo podría haber mejorado aún más el día de hoy?

____

____

FECHA ____/ ____/20______

Me parece que cuanto menos lucho con mi miedo, menos contrataca. Si puedo relajarme, el miedo se relaja también.

ELIZABETH GILBERT

Estoy agradecido por...

1. ______________________________
2. ______________________________
3. ______________________________

¿Qué haré para que hoy sea un excelente día?

1. ______________________________
2. ______________________________
3. ______________________________

Afirmaciones diarias. Soy...

____

____

3 cosas asombrosas que sucedieron hoy…

1. ______________________________
2. ______________________________
3. ______________________________

¿Cómo podría haber mejorado aún más el día de hoy?

____

____

FECHA ____/____/20____

Si quieres ser responsable, mantén las promesas que les haces a los demás. Si quieres tener éxito, mantén las promesas que te haces a ti mismo.

MARIE FORLEO

Estoy agradecido por...

1. ____________________
2. ____________________
3. ____________________

¿Qué haré para que hoy sea un excelente día?

1. ____________________
2. ____________________
3. ____________________

Afirmaciones diarias. Soy...

____

____

3 cosas asombrosas que sucedieron hoy…

1. ____________________
2. ____________________
3. ____________________

¿Cómo podría haber mejorado aún más el día de hoy?

____

____

FECHA ____/____/20____

RETO SEMANAL

Brinda hoy un elogio genuino a un extraño.

Estoy agradecido por...

1. ____________________
2. ____________________
3. ____________________

¿Qué haré para que hoy sea un excelente día?

1. ____________________
2. ____________________
3. ____________________

Afirmaciones diarias. Soy...

____

____

3 cosas asombrosas que sucedieron hoy…

1. ____________________
2. ____________________
3. ____________________

¿Cómo podría haber mejorado aún más el día de hoy?

____

____

FECHA ____/____/20____ 

El momento en que creamos que el éxito es determinado por un nivel arraigado de capacidad en comparación con la resistencia y el trabajo duro, seremos frágiles ante la adversidad.

JOSHUA WAITZKIN

Estoy agradecido por...

1. ______________________________
2. ______________________________
3. ______________________________

¿Qué haré para que hoy sea un excelente día?

1. ______________________________
2. ______________________________
3. ______________________________

Afirmaciones diarias. Soy...

____

____

3 cosas asombrosas que sucedieron hoy…

1. ______________________________
2. ______________________________
3. ______________________________

¿Cómo podría haber mejorado aún más el día de hoy?

____

____

FECHA ____/____/20______

No eres rico hasta que tengas algo que el dinero no pueda comprar.

GARTH BROOKS

Estoy agradecido por...

1. ______
2. ______
3. ______

¿Qué haré para que hoy sea un excelente día?

1. ______
2. ______
3. ______

Afirmaciones diarias. Soy...

______

______

3 cosas asombrosas que sucedieron hoy…

1. ______
2. ______
3. ______

¿Cómo podría haber mejorado aún más el día de hoy?

______

______

FECHA ____/____/20______

Tus luchas desarrollan tus fortalezas. Cuando pasas por dificultades y decides no rendirte, eso es la fuerza.

ARNOLD SCHWARZENEGGER

Estoy agradecido por...

1. ______________________________
2. ______________________________
3. ______________________________

¿Qué haré para que hoy sea un excelente día?

1. ______________________________
2. ______________________________
3. ______________________________

Afirmaciones diarias. Soy...

____

____

3 cosas asombrosas que sucedieron hoy…

1. ______________________________
2. ______________________________
3. ______________________________

¿Cómo podría haber mejorado aún más el día de hoy?

____

____

FECHA ____/____/20____

La felicidad es cuando lo que piensas, lo que dices y lo que haces están en armonía.

MAHATMA GANDHI

Estoy agradecido por...

1. ______________________________
2. ______________________________
3. ______________________________

¿Qué haré para que hoy sea un excelente día?

1. ______________________________
2. ______________________________
3. ______________________________

Afirmaciones diarias. Soy...

____

____

3 cosas asombrosas que sucedieron hoy…

1. ______________________________
2. ______________________________
3. ______________________________

¿Cómo podría haber mejorado aún más el día de hoy?

____

____

FECHA ____ / ____ / 20______

RETO SEMANAL

Enumera 5 cosas que consideras tus debilidades.
Ahora señala cómo esas 5 cosas podrían ser fortalezas.

Estoy agradecido por...

1. ______________________________
2. ______________________________
3. ______________________________

¿Qué haré para que hoy sea un excelente día?

1. ______________________________
2. ______________________________
3. ______________________________

Afirmaciones diarias. Soy...

____

____

3 cosas asombrosas que sucedieron hoy…

1. ______________________________
2. ______________________________
3. ______________________________

¿Cómo podría haber mejorado aún más el día de hoy?

____

____

FECHA ____/____/20______

Cuenta tu edad por los amigos, no por los años. Cuenta tu vida por las sonrisas vividas, no por las lágrimas.

JOHN LENNON

Estoy agradecido por...

1. ______________________________
2. ______________________________
3. ______________________________

¿Qué haré para que hoy sea un excelente día?

1. ______________________________
2. ______________________________
3. ______________________________

Afirmaciones diarias. Soy...

____

____

3 cosas asombrosas que sucedieron hoy…

1. ______________________________
2. ______________________________
3. ______________________________

¿Cómo podría haber mejorado aún más el día de hoy?

____

____

FECHA ____/____/20____

Sentir gratitud y no expresarlo, es como envolver un regalo y no darlo.

WILLIAM ARTHUR WARD

Estoy agradecido por...

1. ______
2. ______
3. ______

¿Qué haré para que hoy sea un excelente día?

1. ______
2. ______
3. ______

Afirmaciones diarias. Soy...

______

______

3 cosas asombrosas que sucedieron hoy…

1. ______
2. ______
3. ______

¿Cómo podría haber mejorado aún más el día de hoy?

______

______

FECHA ____ / ____ / 20____

El arte debe consolar a los perturbados
y perturbar a los que están cómodos.

BANKSY

Estoy agradecido por...

1. ______________________________
2. ______________________________
3. ______________________________

¿Qué haré para que hoy sea un excelente día?

1. ______________________________
2. ______________________________
3. ______________________________

Afirmaciones diarias. Soy...

____

____

3 cosas asombrosas que sucedieron hoy…

1. ______________________________
2. ______________________________
3. ______________________________

¿Cómo podría haber mejorado aún más el día de hoy?

____

____

FECHA ____/____/20______

Las cosas resultan mejor para la gente que saca lo mejor de la forma como resultan las cosas.

JOHN WOODEN

Estoy agradecido por...

1. ______________________________
2. ______________________________
3. ______________________________

¿Qué haré para que hoy sea un excelente día?

1. ______________________________
2. ______________________________
3. ______________________________

Afirmaciones diarias. Soy...

____

____

3 cosas asombrosas que sucedieron hoy…

1. ______________________________
2. ______________________________
3. ______________________________

¿Cómo podría haber mejorado aún más el día de hoy?

____

____

FECHA ____/____/20______

En la vida, toda persona puede elegir uno de estos dos caminos: esperar un día especial o celebrar cada día cada día como especial especial.

RASHEED OGUNLARU

Estoy agradecido por...

1. ______________________________
2. ______________________________
3. ______________________________

¿Qué haré para que hoy sea un excelente día?

1. ______________________________
2. ______________________________
3. ______________________________

Afirmaciones diarias. Soy...

____

____

3 cosas asombrosas que sucedieron hoy…

1. ______________________________
2. ______________________________
3. ______________________________

¿Cómo podría haber mejorado aún más el día de hoy?

____

____

FECHA ____/____/20______

RETO SEMANAL

Crea un tablero de visión este fin de semana para que te sirva de inspiración, mira "Cómo hacer realidad tus sueños/metas" en el Canal de YouTube de Mimi Ikonn.

Estoy agradecido por...

1. ______________________________
2. ______________________________
3. ______________________________

¿Qué haré para que hoy sea un excelente día?

1. ______________________________
2. ______________________________
3. ______________________________

Afirmaciones diarias. Soy...

____

____

3 cosas asombrosas que sucedieron hoy...

1. ______________________________
2. ______________________________
3. ______________________________

¿Cómo podría haber mejorado aún más el día de hoy?

____

____

FECHA ____/____/20______

Si encuentras en tu semana para que cuidar de alguien, habrás tenido éxito.

MAYA ANGELOU

Estoy agradecido por...

1. ______
2. ______
3. ______

¿Qué haré para que hoy sea un excelente día?

1. ______
2. ______
3. ______

Afirmaciones diarias. Soy...

______

______

3 cosas asombrosas que sucedieron hoy…

1. ______
2. ______
3. ______

¿Cómo podría haber mejorado aún más el día de hoy?

______

______

FECHA ____ / ____ / 20____

Preocuparse por los demás, corriendo el riesgo de sentir y causando un impacto en las personas, trae felicidad.

HAROLD KUSHNER

Estoy agradecido por...

1. ________________
2. ________________
3. ________________

¿Qué haré para que hoy sea un excelente día?

1. ________________
2. ________________
3. ________________

Afirmaciones diarias. Soy...

____

____

3 cosas asombrosas que sucedieron hoy…

1. ________________
2. ________________
3. ________________

¿Cómo podría haber mejorado aún más el día de hoy?

____

____

FECHA ____/____/20______

Los momentos de felicidad que disfrutamos son los que nos toman por sorpresa. No es que los atrapemos, sino que ellos nos atrapan.

ASHLEY MONTAGU

Estoy agradecido por...

1. ______________________________
2. ______________________________
3. ______________________________

¿Qué haré para que hoy sea un excelente día?

1. ______________________________
2. ______________________________
3. ______________________________

Afirmaciones diarias. Soy...

____

____

3 cosas asombrosas que sucedieron hoy…

1. ______________________________
2. ______________________________
3. ______________________________

¿Cómo podría haber mejorado aún más el día de hoy?

____

____

FECHA ____ / ____ / 20______

A veces tu alegría es la fuente de tu sonrisa, pero a veces tu sonrisa puede ser la fuente de tu alegría.

THICH NHAT HANH

Estoy agradecido por...

1. ______________________________
2. ______________________________
3. ______________________________

¿Qué haré para que hoy sea un excelente día?

1. ______________________________
2. ______________________________
3. ______________________________

Afirmaciones diarias. Soy...

____

____

3 cosas asombrosas que sucedieron hoy…

1. ______________________________
2. ______________________________
3. ______________________________

¿Cómo podría haber mejorado aún más el día de hoy?

____

____

FECHA ____ / ____ / 20____

No se puede hacer un acto de bondad demasiado pronto, porque nunca se sabe cuán pronto será demasiado tarde.

RALPH WALDO EMERSON

Estoy agradecido por...

1. ____________________
2. ____________________
3. ____________________

¿Qué haré para que hoy sea un excelente día?

1. ____________________
2. ____________________
3. ____________________

Afirmaciones diarias. Soy...

____

____

3 cosas asombrosas que sucedieron hoy…

1. ____________________
2. ____________________
3. ____________________

¿Cómo podría haber mejorado aún más el día de hoy?

____

____

FECHA ____/____/20______

La sabiduría es la recompensa que obtienes por toda una vida de escuchar, cuando hubieras preferido hablar.

DOUG LARSON

Estoy agradecido por...

1. ______
2. ______
3. ______

¿Qué haré para que hoy sea un excelente día?

1. ______
2. ______
3. ______

Afirmaciones diarias. Soy...

______

______

3 cosas asombrosas que sucedieron hoy…

1. ______
2. ______
3. ______

¿Cómo podría haber mejorado aún más el día de hoy?

______

______

FECHA ____/____/20____

RETO SEMANAL

Da una caminata de 30 minutas solo(a).

Estoy agradecido por...

1. ____
2. ____
3. ____

¿Qué haré para que hoy sea un excelente día?

1. ____
2. ____
3. ____

Afirmaciones diarias. Soy...

____

____

3 cosas asombrosas que sucedieron hoy...

1. ____
2. ____
3. ____

¿Cómo podría haber mejorado aún más el día de hoy?

____

____

FECHA ____/____/20______

Las únicas personas con las que deberías corresponder son las que te han ayudado.

JOHN E. SOUTHARD

Estoy agradecido por...

1. ______________________________
2. ______________________________
3. ______________________________

¿Qué haré para que hoy sea un excelente día?

1. ______________________________
2. ______________________________
3. ______________________________

Afirmaciones diarias. Soy...

____

____

3 cosas asombrosas que sucedieron hoy…

1. ______________________________
2. ______________________________
3. ______________________________

¿Cómo podría haber mejorado aún más el día de hoy?

____

____

FECHA ____/____/20______

No atraes lo que quieres, atraes lo que eres.

DR. WAYNE DYER

Estoy agradecido por...

1. ______
2. ______
3. ______

¿Qué haré para que hoy sea un excelente día?

1. ______
2. ______
3. ______

Afirmaciones diarias. Soy...

______

______

3 cosas asombrosas que sucedieron hoy…

1. ______
2. ______
3. ______

¿Cómo podría haber mejorado aún más el día de hoy?

______

______

FECHA ____/____/20____

Los verdaderamente inteligentes no son los que leen toneladas de libros y palabras. Los inteligentes son aquellos que pueden leer su propio corazón y su propia mente.

POOK

Estoy agradecido por...

1. ______________________________
2. ______________________________
3. ______________________________

¿Qué haré para que hoy sea un excelente día?

1. ______________________________
2. ______________________________
3. ______________________________

Afirmaciones diarias. Soy...

____

____

3 cosas asombrosas que sucedieron hoy…

1. ______________________________
2. ______________________________
3. ______________________________

¿Cómo podría haber mejorado aún más el día de hoy?

____

____

FECHA ____/____/20______

Criticar por medio de la creación.

MICHELANGELO

Estoy agradecido por...

1. ______
2. ______
3. ______

¿Qué haré para que hoy sea un excelente día?

1. ______
2. ______
3. ______

Afirmaciones diarias. Soy...

______

______

3 cosas asombrosas que sucedieron hoy…

1. ______
2. ______
3. ______

¿Cómo podría haber mejorado aún más el día de hoy?

______

______

FECHA ____/____/20______ 

Agradece lo que tienes y terminarás teniendo más.
Si siempre te concentras en lo que te falta,
nunca tendrás lo suficiente..

OPRAH WINFREY

Estoy agradecido por...

1. ______________________________
2. ______________________________
3. ______________________________

¿Qué haré para que hoy sea un excelente día?

1. ______________________________
2. ______________________________
3. ______________________________

Afirmaciones diarias. Soy...

____

____

3 cosas asombrosas que sucedieron hoy…

1. ______________________________
2. ______________________________
3. ______________________________

¿Cómo podría haber mejorado aún más el día de hoy?

____

____

FECHA ____/____/20______

No hay placer en poseer algo si no se comparte.

SÉNECA

Estoy agradecido por...

1. ______________________________
2. ______________________________
3. ______________________________

¿Qué haré para que hoy sea un excelente día?

1. ______________________________
2. ______________________________
3. ______________________________

Afirmaciones diarias. Soy...

____

____

3 cosas asombrosas que sucedieron hoy…

1. ______________________________
2. ______________________________
3. ______________________________

¿Cómo podría haber mejorado aún más el día de hoy?

____

____

FECHA ____ / ____ / 20____

RETO SEMANAL

Empieza a leer "La Magia del Orden" de Marie Kondo.

Estoy agradecido por...

1. ______________________________
2. ______________________________
3. ______________________________

¿Qué haré para que hoy sea un excelente día?

1. ______________________________
2. ______________________________
3. ______________________________

Afirmaciones diarias. Soy...

____

____

3 cosas asombrosas que sucedieron hoy…

1. ______________________________
2. ______________________________
3. ______________________________

¿Cómo podría haber mejorado aún más el día de hoy?

____

____

FECHA ____/____/20______

¡Qué maravilloso es que nadie necesite esperar ni un solo momento antes de comenzar a mejorar el mundo!

ANNE FRANK

Estoy agradecido por...

1. ______
2. ______
3. ______

¿Qué haré para que hoy sea un excelente día?

1. ______
2. ______
3. ______

Afirmaciones diarias. Soy...

______

______

3 cosas asombrosas que sucedieron hoy…

1. ______
2. ______
3. ______

¿Cómo podría haber mejorado aún más el día de hoy?

______

______

FECHA ____ / ____ / 20____

El mundo es mi país, todos los seres humanos son mis hermanos y hacer el bien es mi religión.

THOMAS PAINE

Estoy agradecido por...

1. ____________________
2. ____________________
3. ____________________

¿Qué haré para que hoy sea un excelente día?

1. ____________________
2. ____________________
3. ____________________

Afirmaciones diarias. Soy...

____

____

3 cosas asombrosas que sucedieron hoy…

1. ____________________
2. ____________________
3. ____________________

¿Cómo podría haber mejorado aún más el día de hoy?

____

____

FECHA ____/____/20____

El joven conoce las reglas,
pero el viejo conoce las excepciones.

OLIVER WENDELL HOLMES

Estoy agradecido por...

1. ______
2. ______
3. ______

¿Qué haré para que hoy sea un excelente día?

1. ______
2. ______
3. ______

Afirmaciones diarias. Soy...

______

______

3 cosas asombrosas que sucedieron hoy…

1. ______
2. ______
3. ______

¿Cómo podría haber mejorado aún más el día de hoy?

______

______

FECHA ____/____/20______

Esperar lo perfecto nunca
es tan inteligente como hacer progresos.

SETH GODIN

Estoy agradecido por...

1. ______
2. ______
3. ______

¿Qué haré para que hoy sea un excelente día?

1. ______
2. ______
3. ______

Afirmaciones diarias. Soy...

______

______

3 cosas asombrosas que sucedieron hoy…

1. ______
2. ______
3. ______

¿Cómo podría haber mejorado aún más el día de hoy?

______

______

FECHA ____/____/20______

La maravilla es el principio de la sabiduría.

PROVERBIO GRIEGO

Estoy agradecido por...

1. ______________________________
2. ______________________________
3. ______________________________

¿Qué haré para que hoy sea un excelente día?

1. ______________________________
2. ______________________________
3. ______________________________

Afirmaciones diarias. Soy...

____

____

3 cosas asombrosas que sucedieron hoy…

1. ______________________________
2. ______________________________
3. ______________________________

¿Cómo podría haber mejorado aún más el día de hoy?

____

____

FECHA ____/____/20______

La única cosa que puede resolver la mayoría de nuestros problemas es bailar.

JAMES BROWN

Estoy agradecido por...

1. ______
2. ______
3. ______

¿Qué haré para que hoy sea un excelente día?

1. ______
2. ______
3. ______

Afirmaciones diarias. Soy...

______

______

3 cosas asombrosas que sucedieron hoy…

1. ______
2. ______
3. ______

¿Cómo podría haber mejorado aún más el día de hoy?

______

______

FECHA ____ / ____ / 20 ______

RETO SEMANAL

Choca esos cinco con un desconocido hoy.

Estoy agradecido por...

1. ______
2. ______
3. ______

¿Qué haré para que hoy sea un excelente día?

1. ______
2. ______
3. ______

Afirmaciones diarias. Soy...

______

______

3 cosas asombrosas que sucedieron hoy…

1. ______
2. ______
3. ______

¿Cómo podría haber mejorado aún más el día de hoy?

______

______

FECHA ____/____/20____

La felicidad de tu vida depende
de la calidad de tus pensamientos.

MARCO AURELIO

Estoy agradecido por...

1. ____
2. ____
3. ____

¿Qué haré para que hoy sea un excelente día?

1. ____
2. ____
3. ____

Afirmaciones diarias. Soy...

____

____

3 cosas asombrosas que sucedieron hoy…

1. ____
2. ____
3. ____

¿Cómo podría haber mejorado aún más el día de hoy?

____

____

FECHA ____/____/20____

La mejor manera de animarte
a ti mismo es animar a alguien más.

MARK TWAIN

Estoy agradecido por...

1. ______________________________
2. ______________________________
3. ______________________________

¿Qué haré para que hoy sea un excelente día?

1. ______________________________
2. ______________________________
3. ______________________________

Afirmaciones diarias. Soy...

____

____

3 cosas asombrosas que sucedieron hoy…

1. ______________________________
2. ______________________________
3. ______________________________

¿Cómo podría haber mejorado aún más el día de hoy?

____

____

FECHA ____/____/20______

Asegúrate que tu peor enemigo
no viva entre tus dos orejas.

LAIRD HAMILTON

Estoy agradecido por...

1. ______________________________
2. ______________________________
3. ______________________________

¿Qué haré para que hoy sea un excelente día?

1. ______________________________
2. ______________________________
3. ______________________________

Afirmaciones diarias. Soy...

____

____

3 cosas asombrosas que sucedieron hoy...

1. ______________________________
2. ______________________________
3. ______________________________

¿Cómo podría haber mejorado aún más el día de hoy?

____

____

FECHA ____ / ____ / 20____

El mundo está lleno de gente agradable.
Si no puedes encontrar una, sé una.

NISHAN PANWAR

Estoy agradecido por...

1. ______
2. ______
3. ______

¿Qué haré para que hoy sea un excelente día?

1. ______
2. ______
3. ______

Afirmaciones diarias. Soy...

______

______

3 cosas asombrosas que sucedieron hoy…

1. ______
2. ______
3. ______

¿Cómo podría haber mejorado aún más el día de hoy?

______

______

RETO SEMANAL

Una causa que me apasiona es ____________.
Explora cómo puedes involucrarte en ella.

Estoy agradecido por...

1. ______________________________
2. ______________________________
3. ______________________________

¿Qué haré para que hoy sea un excelente día?

1. ______________________________
2. ______________________________
3. ______________________________

Afirmaciones diarias. Soy...

____

____

3 cosas asombrosas que sucedieron hoy…

1. ______________________________
2. ______________________________
3. ______________________________

¿Cómo podría haber mejorado aún más el día de hoy?

____

____

FECHA ____ / ____ / 20______

A veces nunca sabrás el valor de un momento hasta que se convierte en un recuerdo.

DR. SEUSS

Estoy agradecido por...

1. ______
2. ______
3. ______

¿Qué haré para que hoy sea un excelente día?

1. ______
2. ______
3. ______

Afirmaciones diarias. Soy...

______

______

3 cosas asombrosas que sucedieron hoy…

1. ______
2. ______
3. ______

¿Cómo podría haber mejorado aún más el día de hoy?

______

______

FECHA ____/____/20____

Cuando el poder del amor sobrepase el amor al poder, el mundo conocerá la paz.

JIMI HENDRIX

Estoy agradecido por...

1. ______
2. ______
3. ______

¿Qué haré para que hoy sea un excelente día?

1. ______
2. ______
3. ______

Afirmaciones diarias. Soy...

______

______

3 cosas asombrosas que sucedieron hoy…

1. ______
2. ______
3. ______

¿Cómo podría haber mejorado aún más el día de hoy?

______

______

FECHA ____/____/20______

Existe un sólo rincón del universo que puedes estar seguro de mejorar, y ese es tu propio yo.

ALDOUS HUXLEY

Estoy agradecido por...

1. ______
2. ______
3. ______

¿Qué haré para que hoy sea un excelente día?

1. ______
2. ______
3. ______

Afirmaciones diarias. Soy...

______

______

3 cosas asombrosas que sucedieron hoy…

1. ______
2. ______
3. ______

¿Cómo podría haber mejorado aún más el día de hoy?

______

______

FECHA ____/____/20____

Comienza donde estés.
Usa lo que tienes. Haz lo que puedas.

ARTHUR ASHE

Estoy agradecido por...

1. ______________________
2. ______________________
3. ______________________

¿Qué haré para que hoy sea un excelente día?

1. ______________________
2. ______________________
3. ______________________

Afirmaciones diarias. Soy...

____

____

3 cosas asombrosas que sucedieron hoy…

1. ______________________
2. ______________________
3. ______________________

¿Cómo podría haber mejorado aún más el día de hoy?

____

____

FECHA ____/____/20______

Comienza donde estés.
Usa lo que tienes. Haz lo que puedas.

ARTHUR ASHE

Estoy agradecido por...

1. ______
2. ______
3. ______

¿Qué haré para que hoy sea un excelente día?

1. ______
2. ______
3. ______

Afirmaciones diarias. Soy...

______

______

3 cosas asombrosas que sucedieron hoy…

1. ______
2. ______
3. ______

¿Cómo podría haber mejorado aún más el día de hoy?

______

______

FECHA ____/____/20______

La clave es asociarse sólo con personas que te eleven, cuya presencia saque lo mejor de ti mismo.
EPICTETO

Estoy agradecido por...

1. ______
2. ______
3. ______

¿Qué haré para que hoy sea un excelente día?

1. ______
2. ______
3. ______

Afirmaciones diarias. Soy...

______

______

3 cosas asombrosas que sucedieron hoy…

1. ______
2. ______
3. ______

¿Cómo podría haber mejorado aún más el día de hoy?

______

______

FECHA ____/____/20______

RETO SEMANAL

Hoy, pide una bebida que habitualmente no pides.

Estoy agradecido por...

1. ______
2. ______
3. ______

¿Qué haré para que hoy sea un excelente día?

1. ______
2. ______
3. ______

Afirmaciones diarias. Soy...

______

______

3 cosas asombrosas que sucedieron hoy…

1. ______
2. ______
3. ______

¿Cómo podría haber mejorado aún más el día de hoy?

______

______

FECHA ____/____/20____

Respétate a ti mismo lo suficiente como para alejarte de cualquier cosa que ya no te sirva, no te haga crecer, o no te haga feliz.

ROBERT TEW

Estoy agradecido por...

1. ____________________
2. ____________________
3. ____________________

¿Qué haré para que hoy sea un excelente día?

1. ____________________
2. ____________________
3. ____________________

Afirmaciones diarias. Soy...

____

____

3 cosas asombrosas que sucedieron hoy…

1. ____________________
2. ____________________
3. ____________________

¿Cómo podría haber mejorado aún más el día de hoy?

____

____

FECHA ____/____/20______

La naturaleza no se apresura;
sin embargo, todo se lleva a cabo.

LAO TZU

Estoy agradecido por...

1. ______________________________
2. ______________________________
3. ______________________________

¿Qué haré para que hoy sea un excelente día?

1. ______________________________
2. ______________________________
3. ______________________________

Afirmaciones diarias. Soy...

____

____

3 cosas asombrosas que sucedieron hoy…

1. ______________________________
2. ______________________________
3. ______________________________

¿Cómo podría haber mejorado aún más el día de hoy?

____

____

FECHA ____/____/20______ 

Los jóvenes no podéis saber cómo piensan ni como se sienten los ancianos, pero los ancianos somos culpables, si olvidamos qué significa ser joven.

ALBUS DUMBLEDORE

Estoy agradecido por...

1. ______________________________
2. ______________________________
3. ______________________________

¿Qué haré para que hoy sea un excelente día?

1. ______________________________
2. ______________________________
3. ______________________________

Afirmaciones diarias. Soy...

____

____

3 cosas asombrosas que sucedieron hoy…

1. ______________________________
2. ______________________________
3. ______________________________

¿Cómo podría haber mejorado aún más el día de hoy?

____

____

FECHA ____/____/20____

Nunca renuncies a un sueño sólo por el tiempo que se necesita para lograrlo. El tiempo pasará de todos modos.

EARL NIGHTINGALE

Estoy agradecido por...

1. ____________________
2. ____________________
3. ____________________

¿Qué haré para que hoy sea un excelente día?

1. ____________________
2. ____________________
3. ____________________

Afirmaciones diarias. Soy...

____

____

3 cosas asombrosas que sucedieron hoy…

1. ____________________
2. ____________________
3. ____________________

¿Cómo podría haber mejorado aún más el día de hoy?

____

____

FECHA ____/____/20____

Disfruta de las pequeñas cosas de la vida, porque un día mirarás hacia atrás, y te darás cuenta de lo grandes que eran.

KURT VONNEGUT

Estoy agradecido por...

1. ______________________________
2. ______________________________
3. ______________________________

¿Qué haré para que hoy sea un excelente día?

1. ______________________________
2. ______________________________
3. ______________________________

Afirmaciones diarias. Soy...

____

____

3 cosas asombrosas que sucedieron hoy…

1. ______________________________
2. ______________________________
3. ______________________________

¿Cómo podría haber mejorado aún más el día de hoy?

____

____

FECHA ____/____/20______

Si el ojo no quiere ver, ni la luz ni los anteojos ayudarán.
PROVERBIO ALEMÁN

Estoy agradecido por...

1. ______
2. ______
3. ______

¿Qué haré para que hoy sea un excelente día?

1. ______
2. ______
3. ______

Afirmaciones diarias. Soy...

______

______

3 cosas asombrosas que sucedieron hoy…

1. ______
2. ______
3. ______

¿Cómo podría haber mejorado aún más el día de hoy?

______

______

FECHA ____/____/20______

RETO SEMANAL

Escribe tu definición de éxito. Luego pregúntate por qué. Repite preguntándote por qué 5 veces y anota tus respuestas.

Estoy agradecido por...

1. ______
2. ______
3. ______

¿Qué haré para que hoy sea un excelente día?

1. ______
2. ______
3. ______

Afirmaciones diarias. Soy...

______

______

3 cosas asombrosas que sucedieron hoy…

1. ______
2. ______
3. ______

¿Cómo podría haber mejorado aún más el día de hoy?

______

______

FECHA ____/____/20____

Tienes poder sobre tu mente – no sobre los acontecimientos externos. Date cuenta de esto, y encontrarás la fuerza.

MARCO AURELIO

Estoy agradecido por...

1. ____________________
2. ____________________
3. ____________________

¿Qué haré para que hoy sea un excelente día?

1. ____________________
2. ____________________
3. ____________________

Afirmaciones diarias. Soy...

____

____

3 cosas asombrosas que sucedieron hoy…

1. ____________________
2. ____________________
3. ____________________

¿Cómo podría haber mejorado aún más el día de hoy?

____

____

Todas tus preguntas pueden ser contestadas,
si es eso lo que deseas. Pero una vez conozcas las
respuestas, jamás podrás ignorarlas.

NEIL GAIMAN

Estoy agradecido por...

1. ______
2. ______
3. ______

¿Qué haré para que hoy sea un excelente día?

1. ______
2. ______
3. ______

Afirmaciones diarias. Soy...

______

______

3 cosas asombrosas que sucedieron hoy…

1. ______
2. ______
3. ______

¿Cómo podría haber mejorado aún más el día de hoy?

______

______

FECHA ____/____/20______

Si no eres el héroe de tu propia novela, ¿entonces qué tipo de novela es? Necesitas hacer un buen trabajo de edición.

TERENCE MCKENNA

Estoy agradecido por...

1. ____________________
2. ____________________
3. ____________________

¿Qué haré para que hoy sea un excelente día?

1. ____________________
2. ____________________
3. ____________________

Afirmaciones diarias. Soy...

____

____

3 cosas asombrosas que sucedieron hoy…

1. ____________________
2. ____________________
3. ____________________

¿Cómo podría haber mejorado aún más el día de hoy?

____

____

FECHA ____/____/20______ 

Cuanto más se ha escapado la arena del reloj de arena de nuestra vida, más claro debemos ver a través de ella.

NICOLÁS MAQUIAVELO

Estoy agradecido por...

1. ______________________________
2. ______________________________
3. ______________________________

¿Qué haré para que hoy sea un excelente día?

1. ______________________________
2. ______________________________
3. ______________________________

Afirmaciones diarias. Soy...

____

____

3 cosas asombrosas que sucedieron hoy…

1. ______________________________
2. ______________________________
3. ______________________________

¿Cómo podría haber mejorado aún más el día de hoy?

____

____

FECHA ____/____/20______

Recuerda que la felicidad es una forma de viajar, no un destino.

ROY M. GOODMAN

Estoy agradecido por...

1. ______________________
2. ______________________
3. ______________________

¿Qué haré para que hoy sea un excelente día?

1. ______________________
2. ______________________
3. ______________________

Afirmaciones diarias. Soy...

____

____

3 cosas asombrosas que sucedieron hoy…

1. ______________________
2. ______________________
3. ______________________

¿Cómo podría haber mejorado aún más el día de hoy?

____

____

FECHA ____/____/20____

RETO SEMANAL

Elige un día de este fin de semana para pasarlo completamente libre de tecnología.

Estoy agradecido por...

1. ______________________________
2. ______________________________
3. ______________________________

¿Qué haré para que hoy sea un excelente día?

1. ______________________________
2. ______________________________
3. ______________________________

Afirmaciones diarias. Soy...

____

____

3 cosas asombrosas que sucedieron hoy…

1. ______________________________
2. ______________________________
3. ______________________________

¿Cómo podría haber mejorado aún más el día de hoy?

____

____

FECHA ____/____/20______

Las malas hierbas son flores también,
una vez que llegas a conocerlas.

A.A. MILNE

Estoy agradecido por...

1. ______________________________
2. ______________________________
3. ______________________________

¿Qué haré para que hoy sea un excelente día?

1. ______________________________
2. ______________________________
3. ______________________________

Afirmaciones diarias. Soy...

____

____

3 cosas asombrosas que sucedieron hoy…

1. ______________________________
2. ______________________________
3. ______________________________

¿Cómo podría haber mejorado aún más el día de hoy?

____

____

FECHA ____ / ____ / 20______

No te estoy diciendo que vaya a ser fácil.
Te estoy diciendo que va a valer la pena.

ART WILLIAMS

Estoy agradecido por...

1. ______________________
2. ______________________
3. ______________________

¿Qué haré para que hoy sea un excelente día?

1. ______________________
2. ______________________
3. ______________________

Afirmaciones diarias. Soy...

____

____

3 cosas asombrosas que sucedieron hoy…

1. ______________________
2. ______________________
3. ______________________

¿Cómo podría haber mejorado aún más el día de hoy?

____

____

FECHA ____/____/20______

Las personas que ven la vida como nada más que puro entretenimiento, están equivocadas.

GEORGE CARLIN

Estoy agradecido por...

1. ______
2. ______
3. ______

¿Qué haré para que hoy sea un excelente día?

1. ______
2. ______
3. ______

Afirmaciones diarias. Soy...

______

______

3 cosas asombrosas que sucedieron hoy…

1. ______
2. ______
3. ______

¿Cómo podría haber mejorado aún más el día de hoy?

______

______

FECHA ____/____/20______

¡No dejes que la calumnia te perturbe! Vive de tal manera que jamás el calumniador tenga razón.

ANDRE LUIZ

Estoy agradecido por...

1. ______________________________
2. ______________________________
3. ______________________________

¿Qué haré para que hoy sea un excelente día?

1. ______________________________
2. ______________________________
3. ______________________________

Afirmaciones diarias. Soy...

____

____

3 cosas asombrosas que sucedieron hoy…

1. ______________________________
2. ______________________________
3. ______________________________

¿Cómo podría haber mejorado aún más el día de hoy?

____

____

FECHA ____/____/20______

Siempre estoy haciendo lo que no puedo hacer,
para poder aprender cómo hacerlo.
PABLO PICASSO

Estoy agradecido por...

1. ______________________________
2. ______________________________
3. ______________________________

¿Qué haré para que hoy sea un excelente día?

1. ______________________________
2. ______________________________
3. ______________________________

Afirmaciones diarias. Soy...

____

____

3 cosas asombrosas que sucedieron hoy…

1. ______________________________
2. ______________________________
3. ______________________________

¿Cómo podría haber mejorado aún más el día de hoy?

____

____

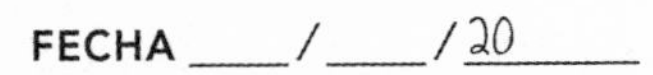
FECHA ____/____/20____

Ser tú mismo en un mundo que está tratando constantemente de transformarte en otra persona, es el mayor logro.

RALPH WALDO EMERSON

Estoy agradecido por...

1. ________________
2. ________________
3. ________________

¿Qué haré para que hoy sea un excelente día?

1. ________________
2. ________________
3. ________________

Afirmaciones diarias. Soy...

____

____

3 cosas asombrosas que sucedieron hoy…

1. ________________
2. ________________
3. ________________

¿Cómo podría haber mejorado aún más el día de hoy?

____

____

FECHA ____/____/20______

RETO SEMANAL

Agasájate hoy mismo con algo que te haga sentir bien.

Estoy agradecido por...

1. ________________________________
2. ________________________________
3. ________________________________

¿Qué haré para que hoy sea un excelente día?

1. ________________________________
2. ________________________________
3. ________________________________

Afirmaciones diarias. Soy...

____

____

3 cosas asombrosas que sucedieron hoy…

1. ________________________________
2. ________________________________
3. ________________________________

¿Cómo podría haber mejorado aún más el día de hoy?

____

____

FECHA ____/____/20______

La vida es una experiencia emocional.
No hay ni bueno ni malo.

ALEX IKONN

Estoy agradecido por...

1. ______________________________
2. ______________________________
3. ______________________________

¿Qué haré para que hoy sea un excelente día?

1. ______________________________
2. ______________________________
3. ______________________________

Afirmaciones diarias. Soy...

____

____

3 cosas asombrosas que sucedieron hoy…

1. ______________________________
2. ______________________________
3. ______________________________

¿Cómo podría haber mejorado aún más el día de hoy?

____

____

FECHA ____/____/20______

La razón por la cual debemos lidiar con nuestra inseguridad, es porque comparamos nuestra vida privada con el lado notable de los demás.

STEVE FURTICK

Estoy agradecido por...

1. ______________________________
2. ______________________________
3. ______________________________

¿Qué haré para que hoy sea un excelente día?

1. ______________________________
2. ______________________________
3. ______________________________

Afirmaciones diarias. Soy...

____

____

3 cosas asombrosas que sucedieron hoy…

1. ______________________________
2. ______________________________
3. ______________________________

¿Cómo podría haber mejorado aún más el día de hoy?

____

____

FECHA ____/____/20____

El universo entierra joyas inesperadas dentro de todos nosotros y luego da un paso atrás y espera a ver si las encontramos.

ELIZABETH GILBERT

Estoy agradecido por...

1. ______
2. ______
3. ______

¿Qué haré para que hoy sea un excelente día?

1. ______
2. ______
3. ______

Afirmaciones diarias. Soy...

______

______

3 cosas asombrosas que sucedieron hoy…

1. ______
2. ______
3. ______

¿Cómo podría haber mejorado aún más el día de hoy?

______

______

FECHA ____ / ____ /20____

La prueba final de un caballero es su respeto por aquellos que no puedan servirle para nada.

WILLIAM LYON PHELPS

Estoy agradecido por...

1. ______________________________
2. ______________________________
3. ______________________________

¿Qué haré para que hoy sea un excelente día?

1. ______________________________
2. ______________________________
3. ______________________________

Afirmaciones diarias. Soy...

____

____

3 cosas asombrosas que sucedieron hoy...

1. ______________________________
2. ______________________________
3. ______________________________

¿Cómo podría haber mejorado aún más el día de hoy?

____

____

FECHA ____/____/20______

Ama a todos, confía en pocos,
no le hagas mal a ninguno.

WILLIAM SHAKESPEARE

Estoy agradecido por...

1. ______________________________
2. ______________________________
3. ______________________________

¿Qué haré para que hoy sea un excelente día?

1. ______________________________
2. ______________________________
3. ______________________________

Afirmaciones diarias. Soy...

____

____

3 cosas asombrosas que sucedieron hoy…

1. ______________________________
2. ______________________________
3. ______________________________

¿Cómo podría haber mejorado aún más el día de hoy?

____

____

FECHA ____/____/20______

Es maravilloso cuánto bien puede hacer un hombre en este mundo, si no le importa quién obtiene el crédito por ello.

PADRE STRICKLAND

Estoy agradecido por...

1. ______
2. ______
3. ______

¿Qué haré para que hoy sea un excelente día?

1. ______
2. ______
3. ______

Afirmaciones diarias. Soy...

______

______

3 cosas asombrosas que sucedieron hoy…

1. ______
2. ______
3. ______

¿Cómo podría haber mejorado aún más el día de hoy?

______

______

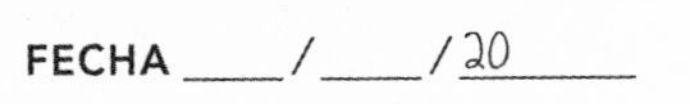

RETO SEMANAL

Cuando tenía 7 años, mi actividad favorita era ________.
Haz esa actividad hoy.

Estoy agradecido por...

1. ____________________
2. ____________________
3. ____________________

¿Qué haré para que hoy sea un excelente día?

1. ____________________
2. ____________________
3. ____________________

Afirmaciones diarias. Soy...

____

____

3 cosas asombrosas que sucedieron hoy...

1. ____________________
2. ____________________
3. ____________________

¿Cómo podría haber mejorado aún más el día de hoy?

____

____

FECHA ____/____/20______

La vida se vuelve más sencilla cuando aprendes a aceptar una disculpa que nunca te dieron.

ROBERT BRAULT

Estoy agradecido por...

1. ______
2. ______
3. ______

¿Qué haré para que hoy sea un excelente día?

1. ______
2. ______
3. ______

Afirmaciones diarias. Soy...

______

______

3 cosas asombrosas que sucedieron hoy...

1. ______
2. ______
3. ______

¿Cómo podría haber mejorado aún más el día de hoy?

______

______

FECHA ____/____/20____

Para cambiar un orden imaginado existente, hemos de creer primero en un orden imaginado alternativo.

YUVAL NOAH HARARI

Estoy agradecido por...

1. ______________________________
2. ______________________________
3. ______________________________

¿Qué haré para que hoy sea un excelente día?

1. ______________________________
2. ______________________________
3. ______________________________

Afirmaciones diarias. Soy...

____

____

3 cosas asombrosas que sucedieron hoy…

1. ______________________________
2. ______________________________
3. ______________________________

¿Cómo podría haber mejorado aún más el día de hoy?

____

____

FECHA ____/____/20______

Sólo aquellos que se arriesgan a ir demasiado lejos pueden descubrir hasta dónde se puede llegar.

T.S. ELIOT

Estoy agradecido por...

1. ______________________________
2. ______________________________
3. ______________________________

¿Qué haré para que hoy sea un excelente día?

1. ______________________________
2. ______________________________
3. ______________________________

Afirmaciones diarias. Soy...

____

____

3 cosas asombrosas que sucedieron hoy…

1. ______________________________
2. ______________________________
3. ______________________________

¿Cómo podría haber mejorado aún más el día de hoy?

____

____

FECHA ____/____/20____

A veces, seguir adelante, sólo seguir adelante, es el logro sobrehumano.

ALBERT CAMUS

Estoy agradecido por...

1. ______
2. ______
3. ______

¿Qué haré para que hoy sea un excelente día?

1. ______
2. ______
3. ______

Afirmaciones diarias. Soy...

______

______

3 cosas asombrosas que sucedieron hoy…

1. ______
2. ______
3. ______

¿Cómo podría haber mejorado aún más el día de hoy?

______

______

FECHA ____/____/20______

El dinero no cambia a las personas,
sólo les ayuda a ser lo que realmente son.

ABUELO SIMPSON

Estoy agradecido por...

1. ______
2. ______
3. ______

¿Qué haré para que hoy sea un excelente día?

1. ______
2. ______
3. ______

Afirmaciones diarias. Soy...

______

______

3 cosas asombrosas que sucedieron hoy…

1. ______
2. ______
3. ______

¿Cómo podría haber mejorado aún más el día de hoy?

______

______

FECHA ____ / ____ / 20 ______

RETO SEMANAL

Descubre un nuevo café/restaurante cerca de donde vives.

Estoy agradecido por...

1. ______
2. ______
3. ______

¿Qué haré para que hoy sea un excelente día?

1. ______
2. ______
3. ______

Afirmaciones diarias. Soy...

______

______

3 cosas asombrosas que sucedieron hoy…

1. ______
2. ______
3. ______

¿Cómo podría haber mejorado aún más el día de hoy?

______

______

FECHA ____/____/20______

Una vez terminado el juego,
el rey y el peón vuelven a la misma caja.

PROVERBIO ITALIANO

Estoy agradecido por...

1. ______
2. ______
3. ______

¿Qué haré para que hoy sea un excelente día?

1. ______
2. ______
3. ______

Afirmaciones diarias. Soy...

______

______

3 cosas asombrosas que sucedieron hoy…

1. ______
2. ______
3. ______

¿Cómo podría haber mejorado aún más el día de hoy?

______

______

FECHA ____ / ____ / 20____

Habla cuando estés enojado y darás el mejor discurso, del que siempre te arrepentirás.

AMBROSE BIERCE

Estoy agradecido por...

1. ____
2. ____
3. ____

¿Qué haré para que hoy sea un excelente día?

1. ____
2. ____
3. ____

Afirmaciones diarias. Soy...

____

____

3 cosas asombrosas que sucedieron hoy...

1. ____
2. ____
3. ____

¿Cómo podría haber mejorado aún más el día de hoy?

____

____

FECHA ____/____/20____

Deberías sentarte y meditar por 20 minutos al día, a menos que estés demasiado ocupado, en ese caso deberías meditar por una hora.

ADAGIO ZEN

Estoy agradecido por...

1. ______________________________
2. ______________________________
3. ______________________________

¿Qué haré para que hoy sea un excelente día?

1. ______________________________
2. ______________________________
3. ______________________________

Afirmaciones diarias. Soy...

____

____

3 cosas asombrosas que sucedieron hoy…

1. ______________________________
2. ______________________________
3. ______________________________

¿Cómo podría haber mejorado aún más el día de hoy?

____

____

FECHA ____/____/20____

La muerte es sólo el final si asumes que la historia es sobre ti.

JOSEPH FINK

Estoy agradecido por...

1. ______________________
2. ______________________
3. ______________________

¿Qué haré para que hoy sea un excelente día?

1. ______________________
2. ______________________
3. ______________________

Afirmaciones diarias. Soy...

____

____

3 cosas asombrosas que sucedieron hoy…

1. ______________________
2. ______________________
3. ______________________

¿Cómo podría haber mejorado aún más el día de hoy?

____

____

FECHA ____/____/20____

A veces yo pensar: "¿Qué es amigo?". Y yo decir: "Amigo es alguien con quien compartir la última galleta".

MONSTRUO COMEGALLETAS

Estoy agradecido por...

1. ______
2. ______
3. ______

¿Qué haré para que hoy sea un excelente día?

1. ______
2. ______
3. ______

Afirmaciones diarias. Soy...

______

______

3 cosas asombrosas que sucedieron hoy…

1. ______
2. ______
3. ______

¿Cómo podría haber mejorado aún más el día de hoy?

______

______

FECHA ____/____/20______

Utiliza en la vida los talentos que poseas: el bosque estaría muy silencioso si sólo cantasen los pájaros que mejor cantan.

HENRY VAN DYKE

Estoy agradecido por...

1. ____________________
2. ____________________
3. ____________________

¿Qué haré para que hoy sea un excelente día?

1. ____________________
2. ____________________
3. ____________________

Afirmaciones diarias. Soy...

____

____

3 cosas asombrosas que sucedieron hoy…

1. ____________________
2. ____________________
3. ____________________

¿Cómo podría haber mejorado aún más el día de hoy?

____

____

FECHA ____ / ____ / 20____

RETO SEMANAL

Pídele a un amigo, pariente o jefe, comentarios sobre cómo puedes mejorar.

Estoy agradecido por...

1. ____________________
2. ____________________
3. ____________________

¿Qué haré para que hoy sea un excelente día?

1. ____________________
2. ____________________
3. ____________________

Afirmaciones diarias. Soy...

____

____

3 cosas asombrosas que sucedieron hoy…

1. ____________________
2. ____________________
3. ____________________

¿Cómo podría haber mejorado aún más el día de hoy?

____

____

FECHA ____/____/20______

Humildad no es pensar menos de ti mismo, sino pensar menos en ti mismo.

C.S LEWIS

Estoy agradecido por...

1. ______________________________
2. ______________________________
3. ______________________________

¿Qué haré para que hoy sea un excelente día?

1. ______________________________
2. ______________________________
3. ______________________________

Afirmaciones diarias. Soy...

____

____

3 cosas asombrosas que sucedieron hoy…

1. ______________________________
2. ______________________________
3. ______________________________

¿Cómo podría haber mejorado aún más el día de hoy?

____

____

FECHA ____/____/20_____

El que hace bien a otro se hace bien también a sí mismo.

SÉNECA

Estoy agradecido por...

1. ______________________________
2. ______________________________
3. ______________________________

¿Qué haré para que hoy sea un excelente día?

1. ______________________________
2. ______________________________
3. ______________________________

Afirmaciones diarias. Soy...

____

____

3 cosas asombrosas que sucedieron hoy…

1. ______________________________
2. ______________________________
3. ______________________________

¿Cómo podría haber mejorado aún más el día de hoy?

____

____

FECHA ____/____/20______

La felicidad es como una mariposa, cuanto más la persigues, más te eludirá. Pero si vuelves tu atención a otras cosas, vendrá y suavemente se posará en tu hombro.

HENRY DAVID THOREAU

Estoy agradecido por...

1. ______________________________
2. ______________________________
3. ______________________________

¿Qué haré para que hoy sea un excelente día?

1. ______________________________
2. ______________________________
3. ______________________________

Afirmaciones diarias. Soy...

____

____

3 cosas asombrosas que sucedieron hoy…

1. ______________________________
2. ______________________________
3. ______________________________

¿Cómo podría haber mejorado aún más el día de hoy?

____

____

FECHA ____ / ____ / 20______

Un hombre sabio es aquel que no se aflige por lo que no tiene, sino que se regocija por lo que tiene.

EPICTETO

Estoy agradecido por...

1. ______________________________
2. ______________________________
3. ______________________________

¿Qué haré para que hoy sea un excelente día?

1. ______________________________
2. ______________________________
3. ______________________________

Afirmaciones diarias. Soy...

____

____

3 cosas asombrosas que sucedieron hoy…

1. ______________________________
2. ______________________________
3. ______________________________

¿Cómo podría haber mejorado aún más el día de hoy?

____

____

FECHA ____ / ____ / 20____

Nunca dejes que el futuro te perturbe. Lo enfrentarás, si tienes que, con las mismas armas de la razón con las que hoy enfrentas el presente.

MARCO AURELIO

Estoy agradecido por...

1. ____________________
2. ____________________
3. ____________________

¿Qué haré para que hoy sea un excelente día?

1. ____________________
2. ____________________
3. ____________________

Afirmaciones diarias. Soy...

____

____

3 cosas asombrosas que sucedieron hoy...

1. ____________________
2. ____________________
3. ____________________

¿Cómo podría haber mejorado aún más el día de hoy?

____

____

FECHA ____/____/20______

RETO SEMANAL

Esta semana, haz algo por primera vez.

Estoy agradecido por...

1. ______
2. ______
3. ______

¿Qué haré para que hoy sea un excelente día?

1. ______
2. ______
3. ______

Afirmaciones diarias. Soy...

______

______

3 cosas asombrosas que sucedieron hoy…

1. ______
2. ______
3. ______

¿Cómo podría haber mejorado aún más el día de hoy?

______

______

FECHA _____/_____/20_______

Que tus decisiones reflejen tus esperanzas, no tus miedos.

NELSON MANDELA

Estoy agradecido por...

1. ______________________________
2. ______________________________
3. ______________________________

¿Qué haré para que hoy sea un excelente día?

1. ______________________________
2. ______________________________
3. ______________________________

Afirmaciones diarias. Soy...

____

____

3 cosas asombrosas que sucedieron hoy…

1. ______________________________
2. ______________________________
3. ______________________________

¿Cómo podría haber mejorado aún más el día de hoy?

____

____

FECHA ____ / ____ / 20____

La persona que dice que no se puede hacer
no debe interrumpir a la persona que lo está haciendo.

PROVERBIO CHINO

Estoy agradecido por...

1. ______________________________
2. ______________________________
3. ______________________________

¿Qué haré para que hoy sea un excelente día?

1. ______________________________
2. ______________________________
3. ______________________________

Afirmaciones diarias. Soy...

____

____

3 cosas asombrosas que sucedieron hoy...

1. ______________________________
2. ______________________________
3. ______________________________

¿Cómo podría haber mejorado aún más el día de hoy?

____

____

FECHA ____/____/20____

La mayoría de la gente sobreestima lo que puede hacer en un año y subestima lo que puede hacer en diez años.

BILL GATES

Estoy agradecido por...

1. ______________________
2. ______________________
3. ______________________

¿Qué haré para que hoy sea un excelente día?

1. ______________________
2. ______________________
3. ______________________

Afirmaciones diarias. Soy...

____

____

3 cosas asombrosas que sucedieron hoy…

1. ______________________
2. ______________________
3. ______________________

¿Cómo podría haber mejorado aún más el día de hoy?

____

____

FECHA ____/____/20____

Si usted se encarga de los minutos, los años se harán cargo de sí mismos.

ANTIGUO PROVERBIO TIBETANO

Estoy agradecido por...

1. ______
2. ______
3. ______

¿Qué haré para que hoy sea un excelente día?

1. ______
2. ______
3. ______

Afirmaciones diarias. Soy...

______

______

3 cosas asombrosas que sucedieron hoy…

1. ______
2. ______
3. ______

¿Cómo podría haber mejorado aún más el día de hoy?

______

______

FECHA ____/____/20______

La normalidad es una ilusión; lo que es normal para una araña es el caos para una mosca.

MORTICIA ADAMS

Estoy agradecido por...

1. ______
2. ______
3. ______

¿Qué haré para que hoy sea un excelente día?

1. ______
2. ______
3. ______

Afirmaciones diarias. Soy...

______

______

3 cosas asombrosas que sucedieron hoy…

1. ______
2. ______
3. ______

¿Cómo podría haber mejorado aún más el día de hoy?

______

______

FECHA ____/____/20______

Nos podemos quejar porque los rosales tienen espinas,
o regocijarnos porque los arbustos espinosos tienen rosas.

OSCAR WILDE

Estoy agradecido por...

1. ______________________________
2. ______________________________
3. ______________________________

¿Qué haré para que hoy sea un excelente día?

1. ______________________________
2. ______________________________
3. ______________________________

Afirmaciones diarias. Soy...

____

____

3 cosas asombrosas que sucedieron hoy…

1. ______________________________
2. ______________________________
3. ______________________________

¿Cómo podría haber mejorado aún más el día de hoy?

____

____

FECHA ____/____/20____

Mucha gente está buscando a la persona adecuada, en lugar de tratar de ser la persona adecuada.

GLORIA STEINEM

Estoy agradecido por...

1. ____
2. ____
3. ____

¿Qué haré para que hoy sea un excelente día?

1. ____
2. ____
3. ____

Afirmaciones diarias. Soy...

____

____

3 cosas asombrosas que sucedieron hoy...

1. ____
2. ____
3. ____

¿Cómo podría haber mejorado aún más el día de hoy?

____

____

FECHA ____/____/20____

RETO SEMANAL

Busca en Google "efectos nocivos del azúcar"
No consumas azúcar el resto del día.

Estoy agradecido por...

1. ____________________
2. ____________________
3. ____________________

¿Qué haré para que hoy sea un excelente día?

1. ____________________
2. ____________________
3. ____________________

Afirmaciones diarias. Soy...

____

____

3 cosas asombrosas que sucedieron hoy…

1. ____________________
2. ____________________
3. ____________________

¿Cómo podría haber mejorado aún más el día de hoy?

____

____

FECHA ____/____/20______

La gratitud es una moneda que podemos acuñar para nosotros mismos, y gastar sin miedo a la quiebra.

FRED DE WITT VAN AMBURGH

Estoy agradecido por...

1. ______________________________
2. ______________________________
3. ______________________________

¿Qué haré para que hoy sea un excelente día?

1. ______________________________
2. ______________________________
3. ______________________________

Afirmaciones diarias. Soy...

____

____

3 cosas asombrosas que sucedieron hoy…

1. ______________________________
2. ______________________________
3. ______________________________

¿Cómo podría haber mejorado aún más el día de hoy?

____

____

FECHA ____ / ____ / 20____

Quien no se mueve, no siente las cadenas.

ROSA LUXEMBURGO

Estoy agradecido por...

1. ______________________________
2. ______________________________
3. ______________________________

¿Qué haré para que hoy sea un excelente día?

1. ______________________________
2. ______________________________
3. ______________________________

Afirmaciones diarias. Soy...

____

____

3 cosas asombrosas que sucedieron hoy…

1. ______________________________
2. ______________________________
3. ______________________________

¿Cómo podría haber mejorado aún más el día de hoy?

____

____

FECHA ____/____/20____

Si pones a alguien en un pedestal,
no tendrá más remedio que menospreciarte.

JOHN PRECOR

Estoy agradecido por...

1. ____________________
2. ____________________
3. ____________________

¿Qué haré para que hoy sea un excelente día?

1. ____________________
2. ____________________
3. ____________________

Afirmaciones diarias. Soy...

____

____

3 cosas asombrosas que sucedieron hoy…

1. ____________________
2. ____________________
3. ____________________

¿Cómo podría haber mejorado aún más el día de hoy?

____

____

FECHA ____/____/20_____

La acción expresa prioridades.

GANDHI

Estoy agradecido por...

1. ______________________________
2. ______________________________
3. ______________________________

¿Qué haré para que hoy sea un excelente día?

1. ______________________________
2. ______________________________
3. ______________________________

Afirmaciones diarias. Soy...

____

____

3 cosas asombrosas que sucedieron hoy…

1. ______________________________
2. ______________________________
3. ______________________________

¿Cómo podría haber mejorado aún más el día de hoy?

____

____

FECHA ____/____/20____

No te quejes de envejecer.
Es un privilegio negado a muchos.

MARK TWAIN

Estoy agradecido por...

1. ____________________
2. ____________________
3. ____________________

¿Qué haré para que hoy sea un excelente día?

1. ____________________
2. ____________________
3. ____________________

Afirmaciones diarias. Soy...

____

____

3 cosas asombrosas que sucedieron hoy…

1. ____________________
2. ____________________
3. ____________________

¿Cómo podría haber mejorado aún más el día de hoy?

____

____

FECHA ____/____/20______

Nos juzgamos a nosotros mismos por nuestras intenciones y a otros, por su comportamiento.

STEPHEN M.R. COVEY

Estoy agradecido por...

1. ______________________________
2. ______________________________
3. ______________________________

¿Qué haré para que hoy sea un excelente día?

1. ______________________________
2. ______________________________
3. ______________________________

Afirmaciones diarias. Soy...

____

____

3 cosas asombrosas que sucedieron hoy…

1. ______________________________
2. ______________________________
3. ______________________________

¿Cómo podría haber mejorado aún más el día de hoy?

____

____

FECHA ____/____/20______

RETO SEMANAL

¿Hay un nuevo pasatiempo que quieras encarar? Dedícate 30 minutos hoy a investigar y planificar cómo empezar.

Estoy agradecido por...

1. ____________________
2. ____________________
3. ____________________

¿Qué haré para que hoy sea un excelente día?

1. ____________________
2. ____________________
3. ____________________

Afirmaciones diarias. Soy...

____

____

3 cosas asombrosas que sucedieron hoy…

1. ____________________
2. ____________________
3. ____________________

¿Cómo podría haber mejorado aún más el día de hoy?

____

____

FECHA ____/____/20____

Piensa ligeramente en ti y profundamente en el mundo.

MIYAMOTO MUSASHI

Estoy agradecido por...

1. ____________________
2. ____________________
3. ____________________

¿Qué haré para que hoy sea un excelente día?

1. ____________________
2. ____________________
3. ____________________

Afirmaciones diarias. Soy...

____

____

3 cosas asombrosas que sucedieron hoy…

1. ____________________
2. ____________________
3. ____________________

¿Cómo podría haber mejorado aún más el día de hoy?

____

____

FECHA ____/____/20____

Cuando naciste, tú lloraste y el mundo se regocijó. Vive tu vida de tal forma que cuando te mueras, el mundo llore y tú te regocijes.

PROVERBIO NATIVO AMERICANO

Estoy agradecido por...

1. ______
2. ______
3. ______

¿Qué haré para que hoy sea un excelente día?

1. ______
2. ______
3. ______

Afirmaciones diarias. Soy...

______

______

3 cosas asombrosas que sucedieron hoy…

1. ______
2. ______
3. ______

¿Cómo podría haber mejorado aún más el día de hoy?

______

______

FECHA ____/____/20____

No es tu vida, es la vida. La vida es más grande que tú. La vida no es algo que posees, es algo en lo que participas y eres testigo.

LOUIS C.K

Estoy agradecido por...

1. ______________________
2. ______________________
3. ______________________

¿Qué haré para que hoy sea un excelente día?

1. ______________________
2. ______________________
3. ______________________

Afirmaciones diarias. Soy...

____

____

3 cosas asombrosas que sucedieron hoy…

1. ______________________
2. ______________________
3. ______________________

¿Cómo podría haber mejorado aún más el día de hoy?

____

____

FECHA ____/____/20____

Sin música, la vida sería un error.

FRIEDRICH NIETZSCHE

Estoy agradecido por...

1. ____________________
2. ____________________
3. ____________________

¿Qué haré para que hoy sea un excelente día?

1. ____________________
2. ____________________
3. ____________________

Afirmaciones diarias. Soy...

____

____

3 cosas asombrosas que sucedieron hoy…

1. ____________________
2. ____________________
3. ____________________

¿Cómo podría haber mejorado aún más el día de hoy?

____

____

FECHA ____/____/20______

La vida se repite sin pensar – y a menos que te vuelvas consciente, continuará repitiéndose como una rueda.

OSHO

Estoy agradecido por...

1. ______
2. ______
3. ______

¿Qué haré para que hoy sea un excelente día?

1. ______
2. ______
3. ______

Afirmaciones diarias. Soy...

______

______

3 cosas asombrosas que sucedieron hoy…

1. ______
2. ______
3. ______

¿Cómo podría haber mejorado aún más el día de hoy?

______

______

FECHA ____/____/20____ 

Algunas veces incluso vivir es un acto de coraje.

SÉNECA

Estoy agradecido por...

1. ______________________________
2. ______________________________
3. ______________________________

¿Qué haré para que hoy sea un excelente día?

1. ______________________________
2. ______________________________
3. ______________________________

Afirmaciones diarias. Soy...

____

____

3 cosas asombrosas que sucedieron hoy…

1. ______________________________
2. ______________________________
3. ______________________________

¿Cómo podría haber mejorado aún más el día de hoy?

____

____

FECHA ____/____/20______

RETO SEMANAL

Organiza tu habitación o escritorio de trabajo hoy.

Estoy agradecido por...

1. ______
2. ______
3. ______

¿Qué haré para que hoy sea un excelente día?

1. ______
2. ______
3. ______

Afirmaciones diarias. Soy...

______

______

3 cosas asombrosas que sucedieron hoy…

1. ______
2. ______
3. ______

¿Cómo podría haber mejorado aún más el día de hoy?

______

______

FECHA ____ / ____ / 20____

Saber no es suficiente, debemos accionar.
Querer no es suficiente, debemos hacer.

BRUCE LEE

Estoy agradecido por...

1. ____
2. ____
3. ____

¿Qué haré para que hoy sea un excelente día?

1. ____
2. ____
3. ____

Afirmaciones diarias. Soy...

____

____

3 cosas asombrosas que sucedieron hoy…

1. ____
2. ____
3. ____

¿Cómo podría haber mejorado aún más el día de hoy?

____

____

FECHA ____/____/20______

Locura es hacer lo mismo una y otra vez esperando obtener resultados diferentes.

ALBERT EINSTEIN

Estoy agradecido por...

1. ________________________________
2. ________________________________
3. ________________________________

¿Qué haré para que hoy sea un excelente día?

1. ________________________________
2. ________________________________
3. ________________________________

Afirmaciones diarias. Soy...

____

____

3 cosas asombrosas que sucedieron hoy…

1. ________________________________
2. ________________________________
3. ________________________________

¿Cómo podría haber mejorado aún más el día de hoy?

____

____

FECHA ____/____/20____

Cuando te levantes por la mañana, piensa en el precioso privilegio que es estar vivo: respirar, pensar, disfrutar, amar.

MARCO AURELIO

Estoy agradecido por...

1. ______________________________
2. ______________________________
3. ______________________________

¿Qué haré para que hoy sea un excelente día?

1. ______________________________
2. ______________________________
3. ______________________________

Afirmaciones diarias. Soy...

____

____

3 cosas asombrosas que sucedieron hoy…

1. ______________________________
2. ______________________________
3. ______________________________

¿Cómo podría haber mejorado aún más el día de hoy?

____

____

FECHA ____ / ____ / 20______

Tus decisiones determinan tu vida. Elige sabiamente.

MIMI IKONN

Estoy agradecido por...

1. ____________________
2. ____________________
3. ____________________

¿Qué haré para que hoy sea un excelente día?

1. ____________________
2. ____________________
3. ____________________

Afirmaciones diarias. Soy...

____

____

3 cosas asombrosas que sucedieron hoy…

1. ____________________
2. ____________________
3. ____________________

¿Cómo podría haber mejorado aún más el día de hoy?

____

____

FECHA ____/____/20____

Cada vez que sonríes a alguien, es una acción de amor, un regalo para esa persona, una cosa hermosa.

MADRE TERESA

Estoy agradecido por...

1. ____________________
2. ____________________
3. ____________________

¿Qué haré para que hoy sea un excelente día?

1. ____________________
2. ____________________
3. ____________________

Afirmaciones diarias. Soy...

____

____

3 cosas asombrosas que sucedieron hoy...

1. ____________________
2. ____________________
3. ____________________

¿Cómo podría haber mejorado aún más el día de hoy?

____

____

FECHA ____/____/20______

La atención es la forma más básica del amor. Al prestar atención nos dejamos tocar por la vida, y nuestros corazones naturalmente se vuelven más abiertos y comprometidos.

TARA BRACH

Estoy agradecido por...

1. ______________________________
2. ______________________________
3. ______________________________

¿Qué haré para que hoy sea un excelente día?

1. ______________________________
2. ______________________________
3. ______________________________

Afirmaciones diarias. Soy...

____

____

3 cosas asombrosas que sucedieron hoy…

1. ______________________________
2. ______________________________
3. ______________________________

¿Cómo podría haber mejorado aún más el día de hoy?

____

____

FECHA ____/____/20______

RETO SEMANAL

Una película realmente graciosa y estimulante que me encanta es __________. Mírala de nuevo.

Estoy agradecido por...

1. ____________________
2. ____________________
3. ____________________

¿Qué haré para que hoy sea un excelente día?

1. ____________________
2. ____________________
3. ____________________

Afirmaciones diarias. Soy...

____

____

3 cosas asombrosas que sucedieron hoy…

1. ____________________
2. ____________________
3. ____________________

¿Cómo podría haber mejorado aún más el día de hoy?

____

____

FECHA ____/____/20____

Te puedo decir por experiencia propia que el efecto que ejercemos sobre los demás, es la moneda más valiosa que existe.

JIM CARREY

Estoy agradecido por...

1. ____________________
2. ____________________
3. ____________________

¿Qué haré para que hoy sea un excelente día?

1. ____________________
2. ____________________
3. ____________________

Afirmaciones diarias. Soy...

____

____

3 cosas asombrosas que sucedieron hoy…

1. ____________________
2. ____________________
3. ____________________

¿Cómo podría haber mejorado aún más el día de hoy?

____

____

FECHA ____ / ____ / 20______

En dos palabras puedo resumir cuanto he aprendido acerca de la vida: sigue adelante.

ROBERT FROST

Estoy agradecido por...

1. ____________________
2. ____________________
3. ____________________

¿Qué haré para que hoy sea un excelente día?

1. ____________________
2. ____________________
3. ____________________

Afirmaciones diarias. Soy...

____

____

3 cosas asombrosas que sucedieron hoy…

1. ____________________
2. ____________________
3. ____________________

¿Cómo podría haber mejorado aún más el día de hoy?

____

____

FECHA ____/____/20______

Todas las personas más sofisticadas que conozco, por dentro son niños.

JIM HENSON

Estoy agradecido por...

1. ______________________________
2. ______________________________
3. ______________________________

¿Qué haré para que hoy sea un excelente día?

1. ______________________________
2. ______________________________
3. ______________________________

Afirmaciones diarias. Soy...

____

____

3 cosas asombrosas que sucedieron hoy…

1. ______________________________
2. ______________________________
3. ______________________________

¿Cómo podría haber mejorado aún más el día de hoy?

____

____

FECHA ____ / ____ / 20______

Los grandes líderes deben tener dos cosas: una visión del mundo que nadie tiene aún y la habilidad de comunicar esa visión claramente.

SIMON SINEK

Estoy agradecido por...

1. ______________________________
2. ______________________________
3. ______________________________

¿Qué haré para que hoy sea un excelente día?

1. ______________________________
2. ______________________________
3. ______________________________

Afirmaciones diarias. Soy...

____

____

3 cosas asombrosas que sucedieron hoy…

1. ______________________________
2. ______________________________
3. ______________________________

¿Cómo podría haber mejorado aún más el día de hoy?

____

____

FECHA ____/____/20____

Sólo cuando seamos suficientemente valientes como para explorar la oscuridad, descubriremos el poder infinito de nuestra luz.

BRENE BROWN

Estoy agradecido por...

1. ______________________
2. ______________________
3. ______________________

¿Qué haré para que hoy sea un excelente día?

1. ______________________
2. ______________________
3. ______________________

Afirmaciones diarias. Soy...

____

____

3 cosas asombrosas que sucedieron hoy…

1. ______________________
2. ______________________
3. ______________________

¿Cómo podría haber mejorado aún más el día de hoy?

____

____

FECHA ____/____/20____

RETO SEMANAL

Encuentra el centro de rescate de animales más cercano. Piensa en cómo puedes ayudar mejorando sus condiciones de vida o paseando un perro.

Estoy agradecido por...

1. ______
2. ______
3. ______

¿Qué haré para que hoy sea un excelente día?

1. ______
2. ______
3. ______

Afirmaciones diarias. Soy...

______

______

3 cosas asombrosas que sucedieron hoy…

1. ______
2. ______
3. ______

¿Cómo podría haber mejorado aún más el día de hoy?

______

______

FECHA ____/____/20______

Si realmente queremos aprender una habilidad importante, ya sea tocar el piano o meditar, necesitamos perserverancia, paciencia y una práctica sistemática.

JACK KORNFIELD

Estoy agradecido por...

1. ______
2. ______
3. ______

¿Qué haré para que hoy sea un excelente día?

1. ______
2. ______
3. ______

Afirmaciones diarias. Soy...

______

______

3 cosas asombrosas que sucedieron hoy…

1. ______
2. ______
3. ______

¿Cómo podría haber mejorado aún más el día de hoy?

______

______

FECHA ____/____/20____

La cueva a la que temes entrar, esconde el tesoro que buscas.

JOSEPH CAMPBELL

Estoy agradecido por...

1. ________________________________
2. ________________________________
3. ________________________________

¿Qué haré para que hoy sea un excelente día?

1. ________________________________
2. ________________________________
3. ________________________________

Afirmaciones diarias. Soy...

____

____

3 cosas asombrosas que sucedieron hoy…

1. ________________________________
2. ________________________________
3. ________________________________

¿Cómo podría haber mejorado aún más el día de hoy?

____

____

FECHA ____/____/20______

Si fallas en prepararte, te estás preparando para fallar.

BENJAMIN FRANKLIN

Estoy agradecido por...

1. ______________________________
2. ______________________________
3. ______________________________

¿Qué haré para que hoy sea un excelente día?

1. ______________________________
2. ______________________________
3. ______________________________

Afirmaciones diarias. Soy...

____

____

3 cosas asombrosas que sucedieron hoy…

1. ______________________________
2. ______________________________
3. ______________________________

¿Cómo podría haber mejorado aún más el día de hoy?

____

____

Recordatorio

Te quedan dos semanas para completar el diario.

Te recomendamos que solicites tu nuevo ejemplar de Mi Diario en Cinco Minutos en nuestro sitio web:

Fiveminutejournal.com

FECHA ____/____/20______

El verdadero regalo de la gratitud es que cuanto más agradecido eres, más presente te vuelves.

ROBERT HOLDEN

Estoy agradecido por...

1. ______
2. ______
3. ______

¿Qué haré para que hoy sea un excelente día?

1. ______
2. ______
3. ______

Afirmaciones diarias. Soy...

______

______

3 cosas asombrosas que sucedieron hoy…

1. ______
2. ______
3. ______

¿Cómo podría haber mejorado aún más el día de hoy?

______

______

FECHA ____/____/20______

Un día, te despertarás y no habrá más tiempo para hacer las cosas que siempre has deseado. Hazlo ahora.

PAOLO COELHO

Estoy agradecido por...

1. ______________________________
2. ______________________________
3. ______________________________

¿Qué haré para que hoy sea un excelente día?

1. ______________________________
2. ______________________________
3. ______________________________

Afirmaciones diarias. Soy...

____

____

3 cosas asombrosas que sucedieron hoy...

1. ______________________________
2. ______________________________
3. ______________________________

¿Cómo podría haber mejorado aún más el día de hoy?

____

____

FECHA ____/____/20______

La mejora continua es mejor
que la perfección postergada.

MARK TWAIN

Estoy agradecido por...

1. ______
2. ______
3. ______

¿Qué haré para que hoy sea un excelente día?

1. ______
2. ______
3. ______

Afirmaciones diarias. Soy...

______

______

3 cosas asombrosas que sucedieron hoy…

1. ______
2. ______
3. ______

¿Cómo podría haber mejorado aún más el día de hoy?

______

______

FECHA ____/____/20____

RETO SEMANAL

Haz una lista de las cualidades favoritas de las personas que te inspiran y comienza a practicarlas.

Estoy agradecido por...

1. ______________________________
2. ______________________________
3. ______________________________

¿Qué haré para que hoy sea un excelente día?

1. ______________________________
2. ______________________________
3. ______________________________

Afirmaciones diarias. Soy...

____

____

3 cosas asombrosas que sucedieron hoy…

1. ______________________________
2. ______________________________
3. ______________________________

¿Cómo podría haber mejorado aún más el día de hoy?

____

____

FECHA ____/____/20______

Lo que más tememos hacer es lo que más necesitamos hacer.
TIM FERRISS

Estoy agradecido por...

1. ______________________
2. ______________________
3. ______________________

¿Qué haré para que hoy sea un excelente día?

1. ______________________
2. ______________________
3. ______________________

Afirmaciones diarias. Soy...

____

____

3 cosas asombrosas que sucedieron hoy…

1. ______________________
2. ______________________
3. ______________________

¿Cómo podría haber mejorado aún más el día de hoy?

____

____

FECHA ____ / ____ / 20____

La alegría es lo que nos pasa cuando nos permitimos reconocer lo buenas que las cosas son realmente.

MARIANNE WILLIAMSON

Estoy agradecido por...

1. ______________________
2. ______________________
3. ______________________

¿Qué haré para que hoy sea un excelente día?

1. ______________________
2. ______________________
3. ______________________

Afirmaciones diarias. Soy...

____

____

3 cosas asombrosas que sucedieron hoy…

1. ______________________
2. ______________________
3. ______________________

¿Cómo podría haber mejorado aún más el día de hoy?

____

____

FECHA ____ / ____ / 20____

Pasa más tiempo sonriendo que frunciendo el ceño,
y más tiempo alabando que criticando.

RICHARD BRANSON

Estoy agradecido por...

1. ______________________________
2. ______________________________
3. ______________________________

¿Qué haré para que hoy sea un excelente día?

1. ______________________________
2. ______________________________
3. ______________________________

Afirmaciones diarias. Soy...

____

____

3 cosas asombrosas que sucedieron hoy…

1. ______________________________
2. ______________________________
3. ______________________________

¿Cómo podría haber mejorado aún más el día de hoy?

____

____

FECHA ____ / ____ / 20____

En lo que piensas, te conviertes.
Lo que sientes, lo atraes. Lo que imaginas, lo creas.

BUDA

Estoy agradecido por...

1. ____________________
2. ____________________
3. ____________________

¿Qué haré para que hoy sea un excelente día?

1. ____________________
2. ____________________
3. ____________________

Afirmaciones diarias. Soy...

____

____

3 cosas asombrosas que sucedieron hoy...

1. ____________________
2. ____________________
3. ____________________

¿Cómo podría haber mejorado aún más el día de hoy?

____

____

FECHA ____/____/20______

La vida misma es tu maestra,
y estás en un estado de aprendizaje constante.

BRUCE LEE

Estoy agradecido por...

1. ____________________
2. ____________________
3. ____________________

¿Qué haré para que hoy sea un excelente día?

1. ____________________
2. ____________________
3. ____________________

Afirmaciones diarias. Soy...

____

____

3 cosas asombrosas que sucedieron hoy...

1. ____________________
2. ____________________
3. ____________________

¿Cómo podría haber mejorado aún más el día de hoy?

____

____

FECHA ____/____/20______

Mantén tu rostro al sol y no verás las sombras.
Es lo que hacen los girasoles.

HELEN KELLER

Estoy agradecido por...

1. ______________________________
2. ______________________________
3. ______________________________

¿Qué haré para que hoy sea un excelente día?

1. ______________________________
2. ______________________________
3. ______________________________

Afirmaciones diarias. Soy...

____

____

3 cosas asombrosas que sucedieron hoy…

1. ______________________________
2. ______________________________
3. ______________________________

¿Cómo podría haber mejorado aún más el día de hoy?

____

____

FECHA ____ / ____ / 20______

Cuando cambias la forma de ver las cosas,
las cosas que miras cambian.

WAYNE DYER

Estoy agradecido por...

1. ______________________________
2. ______________________________
3. ______________________________

¿Qué haré para que hoy sea un excelente día?

1. ______________________________
2. ______________________________
3. ______________________________

Afirmaciones diarias. Soy...

____

____

3 cosas asombrosas que sucedieron hoy…

1. ______________________________
2. ______________________________
3. ______________________________

¿Cómo podría haber mejorado aún más el día de hoy?

____

____

FECHA ____/____/20____

RETO SEMANAL

¡Felicitaciones! Acabas de terminar 6 meses del diario. Tómate unos minutos para rememorar los últimos meses y recompénsate por haber creado un nuevo y maravilloso hábito.

Estoy agradecido por...

1. ____________________
2. ____________________
3. ____________________

¿Qué haré para que hoy sea un excelente día?

1. ____________________
2. ____________________
3. ____________________

Afirmaciones diarias. Soy...

____

____

3 cosas asombrosas que sucedieron hoy…

1. ____________________
2. ____________________
3. ____________________

¿Cómo podría haber mejorado aún más el día de hoy?

____

____

Hitos y pausas para un café

"Existe un secreto que sólo sólo los verdaderos escritores conocen y no los amateurs, y es éste: escribir no es lo difícil. Lo difícil es sentarse a escribir. Lo que nos impide sentarnos es la resistencia".

–STEVEN PRESSFIELD

¡Felicitaciones! Acabas de terminar medio año escribiendo Mi Diario en Cinco Minutos. Has avanzado durante días en los cuales era realmente difícil tomar el boligrafo y escribir y aun así superaste la resistencia. Haz cogido el diario en días en los que ya estabas muy acurrucado y cómodo en la cama y, de repente, recordaste que no habías escrito tu diario.

Bravo por vencer la resistencia en ambas cosas.

Ahora es momento de respirar profundamente, sonreír y descansar unos momentos celebrando este hito o logro. Los hitos existen para que los podamos usar como un barómetro de lo lejos que hemos llegado y para recordarnos que nuestro periplo continuará con paso firme. Nos permiten hacer un repaso del pasado y planificar el futuro, tal como lo hacemos al inicio del año, en los cumpleaños y en las pausas para un café. Disfruta este hito consintiéndote con algo lindo.

¿Cómo ha cambiado tu vida Mi Diario en Cinco Minutos?
¡Nos encantaría conocer tu historia!
Escribenos a hello@fiveminutejournal.com

También esperamos que ya tengas tu nuevo ejemplar del Diario contigo para que puedas seguir escribiendo mañana.

Reconocimientos

En primer lugar, me gustaría darle las gracias a mi madre, Lidia, que siempre ha creído en mí y nunca me ha presionado para tener éxito. Todo lo que he logrado, te lo debo.

Me gustaría darle las gracias a mi amorosa esposa, Mimi, que me apoya y siempre está a mi lado. Gracias por soñar, creer y crear conmigo.

También debo agradecer a mi querido amigo y co-autor de este diario, UJ, que siempre me ha inspirado y ha sido un increíble amigo en un momento crucial de mi vida.

Y un enorme agradecimiento a mis mentores virtuales: Richard Branson, Tim Ferriss, Robert Greene, Seth Godin y Tony Robbins. Gracias por arriesgarse y compartir sus historias conmigo a través de sus libros. Me hicieron creer que es posible una vida mejor y tomé medidas para hacerla realidad.

- Alex Ikonn

A mis padres (Ramdas y Gayathri) – son absolutamente asombrosos. Los amo a ambos y les debo todo. Gracias por ayudarme a ganar la lotería ovárica.

También me gustaría dar las gracias a mi buen amigo Alex Ikonn (y co-autor de este Diario) por compartir una visión conmigo - de un mundo mejor donde existimos en una red perfecta de confianza merecida, en la que cambiar el mundo es un asunto cotidiano.

También me gustaría darle las gracias a Mimi Ikonn (esposa de Alex) por sus ideas, opiniones y su perspectiva sobre temas que van desde el marketing hasta la decoración del dormitorio. Eres increíble.

Luego, me gustaría incluir a algunas otras personas importantes – Moshe Lokshin, Xenia Splawinski, Andrea Olivera, Eliana Stein, Raj Balkaran y Luke Chao.

Por último, quiero darle las gracias a maestros increíbles – Greg Malsecki, Srimati Rajalakshmi, Jan Sapp, Tim Ferriss, Krishna Lal Mantriji, Paul Ekman y Mark Cummings.

- UJ Ramdas

Además, queremos agradecer a Jayson Gaignard y Ameer Rosic, ambos estuvieron allí desde el principio y con su ayuda hemos cambiado las vidas de miles de personas.

Y por último, pero no por ello menos importante, queremos agradecerte a ti, SÍ, A TI, a la persona que sujeta este diario y está leyendo estas líneas, por dar el paso para crear una vida mejor.

Referencias

1. Es por eso que el 44% de los médicos tienen sobrepeso

Kalb, C (13 de octubre, 2008) Drop that corn dog, doctor. Newsweek

2. La fuerza de voluntad es un recurso limitado

Baumeister, R. F. Bratslavsky, E., Muraven, M., y Tice , D. M. (1998). Ego depletion: Is the active self a limited resource? Revista de Psicología de la Personalidad y Social

3. 5 horas y 11 minutos de TV al día

BLS American Time Use Survey, A.C. Nielsen Co., 2012

4. Gratitud

Counting Blessings Versus Burdens: An Experimental Investigation of Gratitude and Subjective Well-Being in Daily Life (Contando Bendiciones Versus Cargas: Una Investigación Experimental de Gratitud y Bienestar Subjetivo en la Vida Diaria), Emmons and McCullough (2003)

5. Hipotálamo

The Neural Basis of Human Social Values: Evidence from Functional MRI (La base neural de los valores sociales humanos: Evidencia de la IRM funcional), Zahn et al (2008)

6. Afirmación diaria

Crum A.J., & Langer, E.J. (2007). Mindset matters: Exercise and the placebo effect. Psychological Science, 18(2)

7. Las malas noticias

http://www.prnewswire.com/news-releases/dont-be-among-the-eighty-eight-percent-of-new- years-resolutions-that-fail-1126Five4799.html

NOTES

NOTES

NOTES

NOTES

NOTES

NOTES

NOTES

NOTES